L'alouette Du Casque

Eugène Sue

Copyright pour le texte et la couverture © 2023 Culturea
Edition : Culturea (culurea.fr), 34 Hérault
Contact : infos@culturea.fr
Impression : BOD, Norderstedt (Allemagne)
ISBN : 9791041838127
Date de publication : juillet 2023
Mise en page et maquettage : https://reedsy.com/
Cet ouvrage a été composé avec la police Bauer Bodoni
Tous droits réservés pour tous pays.

L'alouette du casque

CHAPITRE PREMIER

Moi, descendant de Joël, le brenn de la tribu de Karnak; moi, Scanvoch, redevenu libre par le courage de mon père Ralf et les vaillantes insurrections gauloises, armées de siècles en siècle, j'écris ceci deux cent soixantequatre ans après que mon aïeule Geneviève, femme de Fergan, a vu mourir, en Judée, sur le Calvaire, Jésus de Nazareth.

J'écris ceci cent trentequatre ans après que Gomer, fils de Judicaël et petitfils de Fergan, esclave comme son père et son grandpère, écrivait à son fils Médérik qu'il n'avait à ajouter que le monotone récit de sa vie d'esclave à l'histoire de notre famille.

Médérik, mon aïeul, n'a rien ajouté non plus à notre légende; son fils Justin y avait fait seulement tracer ces mots par une main étrangère:

«Mon père Médérik est mort esclave, combattant, comme Enfant du Gui, pour la liberté de la Gaule. Moi, son fils Justin, colon du fisc, mais non plus esclave, j'ai fait consigner ceci sur les parchemins de notre famille; je les transmettrai fidèlement à mon fils Aurel, ainsi que la faucille d'or, la clochette d'airain, le morceau de collier de fer et la petite croix d'argent, que j'ai pu conserver.»

Aurel, fils de Justin, colon comme son père, n'a pas été plus lettré que lui; une main étrangère avait aussi tracé ces mots à la suite de notre légende:

«Ralf, fils d'Aurel, le colon, s'est battu pour l'indépendance de son pays; Ralf, devenu tout à fait libre par la force des armes gauloises, a été aussi obligé de prier un ami de tracer ces mots sur nos parchemins pour y constater la mort de son père Aurel. Mon fils Scanvoch, plus heureux que moi, pourra, sans recourir à une main étrangère, écrire dans nos récits de famille la date de ma mort, à moi, Ralf, le premier homme de la descendance de Joël, le brenn de la tribu Karnak, qui ait reconquis une entière liberté.»

Moi, donc, Scanvoch, fils d'Aurel, j'ai effacé de notre légende et récit moimême les lignes précédentes, jadis tracées par la main d'autrui, qui mentionnaient la mort et les noms des nos aïeux, Justin, Aurel, Ralf. Ces trois générations remontaient à Médérik, fils de Gomer, lequel était fils de Judicaël et petitfils de Fergan, dont la femme Geneviève a vu mettre à mort, en Judée, Jézus de Nazareth, il y a aujourd'hui deux cent soixantequatre ans.

Mon père Ralf m'a aussi remis nos saintes reliques à nous:

La petite faucille d'or de notre aïeule Hêna, la vierge de l'île de Sên;

La clochette d'airain laissée par notre aïeul Guilhern, le seul survivant des nôtres à la grande bataille de Vannes; jour funeste, duquel a daté l'asservissement de la Gaule par César, il y a aujourd'hui trois cent vingt ans;

Le collier de fer, signe de la cruelle servitude de notre aïeul Sylvest;

La petite croix d'argent que nous a léguée notre aïeule Geneviève, témoin de la mort de Jésus de Nazareth.

Ces récits, ces reliques, je te les lèguerai après moi, mon petit Aëlguen, fils de ma bienaimée femme Ellèn, qui t'as mis au monde il y a aujourd'hui quatre ans.

C'est ce beau jour, anniversaire de ta naissance, que je choisis, comme un jour d'un heureux augure, mon enfant, afin de commencer, pour toi et pour notre descendance, le récit de ma vie, selon le dernier voeu de notre aïeul Joël, le brenn de la tribu Karnak.

Tu t'attristeras, mon enfant, quand tu verras par ces récits que, depuis la mort de Joël jusqu'à celle de mon arrièregrandpère Justin, sept générations, entendstu? sept générations!... ont été soumises à un horrible esclavage; mais ton coeur s'allégera lorsque tu apprendras que mon bisaïeul et mon aïeul étaient, d'esclaves, devenus colons attachés à la terre des Gaules, condition encore servile, mais beaucoup supérieure à l'esclavage; mon père à moi, redevenu libre grâce aux redoutables insurrections des Enfants du Gui, m'a légué la liberté, ce bien le plus précieux de tous; je te le lèguerai aussi.

Notre chère patrie a donc, à force de luttes, de persévérance contre les Romains, successivement reconquis, au prix du sang de ses enfants, presque toutes ses libertés. Un fragile et dernier lien nous attache encore à Rome, aujourd'hui notre alliée, autrefois notre impitoyable dominatrice; mais ce fragile et dernier lien brisé, nous retrouverons notre indépendance absolue, et nous reprendrons notre antique place à la tête des grandes nations du monde.

Avant de te faire connaître certaines circonstances de ma vie, mon enfant, je dois suppléer en quelques lignes au vide que laisse dans l'histoire de notre famille l'abstention de ceux de nos aïeux qui, par suite de leur manque d'instruction et du malheur des temps, n'ont pu ajouter leurs récits à notre légende. Leur vie a dû être celle de tous les Gaulois qui, malgré les chaînes de l'esclavage, ont, pas à pas, siècle à siècle, conquis par la révolte et la bataille l'affranchissement de notre pays.

Tu liras, dans les dernières lignes écrites par notre aïeul Fergan, époux de Geneviève, que, malgré les serments des Enfants du Gui et de nombreux soulèvements, dont l'un, et des plus redoutables, eut à sa tête Sacrovir, ce digne émule du chef des cent vallées, la tyrannie de Rome, imposée depuis César à la Gaule, durait toujours. En vain Jésus de Nazareth avait prophétisé les temps où les fers des esclaves seraient brisés, les esclaves traînaient toujours leurs chaînes ensanglantées; cependant notre vieille race, affaiblie, mutilée, énervée ou corrompue par l'esclavage, mais non soumise, ne laissait passer que peu d'années sans essayer de briser son joug; les secrètes associations des Enfants du Gui couvraient le pays et donnaient d'intrépides soldats à chacune de nos révoltes contre Rome.

Après la tentative héroïque de Sacrovir, dont tu liras la mort sublime dans les récits de notre aïeul Fergan, le chétif et timide esclave tisserand, d'autres insurrections éclatèrent sous les empereurs romains Tibère et Claude; elles redoublèrent d'énergie pendant les guerres civiles qui, sous le règne de Néron, divisèrent l'Italie. Vers cette époque, l'un de nos héros, VINDEX, aussi intrépide que le CHEF DES CENT VALLÉES ou que Sacrovir, tint longtemps en échec les armées romaines. CIVILS, autre patriote gaulois, s'appuyant sur les prophéties de VELLÉDA, une de nos druidesses, femme virile et de haut conseil, digne de la vaillance et de la sagesse de nos mères, souleva presque toute la Gaule, et commença d'ébranler la puissance romaine. Plus tard, enfin, sous le règne de l'empereur Vitellius, un pauvre esclave de labour, comme l'avait été notre aïeul Guilhern, se donnant comme Messie et libérateur de la Gaule, de même que Jésus de Nazareth s'était donné comme Messie et libérateur de la Judée, poursuivit avec une patriotique ardeur l'oeuvre d'affranchissement commencée par le chef des cent vallées, et continuée par Sacrovir, Vindex, Civilis et tant d'autres héros. Cet esclave laboureur, nommé MARIK, âgé de vingtcinq ans à peine, robuste, intelligent, d'une héroïque bravoure, était affilié aux Enfants du Gui; nos vénérés druides, toujours persécutés, avaient parcouru la Gaule pour exciter les tièdes, calmer les impatients et prévenir chacun du terme fixé pour le soulèvement. Il éclate; Marik, à la tête de dix mille esclaves, paysans comme lui, armés de fourches et de faux, attaque, sous les murs de Lyon, les troupes romaines de Vitellius. Cette première tentative avorte; les insurgés sont presque entièrement détruits par l'armée romaine, trois fois supérieure en nombre. Loin d'accabler les insurgés gaulois, cette défaite les exalte; des populations entières se soulèvent à la voix des druides prêchant la guerre sainte: les combattants semblent sortir des entrailles de la terre; Marik se voit bientôt à la tête d'une nombreuse armée. Doué par les dieux du génie militaire, il discipline ses troupes, les encourage, leur inspire une confiance aveugle, marche vers les bords du Rhin, où campait, protégée par ses retranchements, la réserve de l'armée romaine, l'attaque, la bat, et force des légions entières, qu'il fait prisonnières, à changer leurs enseignes pour notre antique coq gaulois. Ces légions romaines, devenues presque nos compatriotes par leur long séjour dans notre pays, entraînées par l'ascendant militaire de Marik, se joignent à lui, combattent les nouvelles cohortes romaines venues d'Italie, les dispersent ou les anéantissent. L'heure de la délivrance de la Gaule allait sonner... Marïk tombe entre les mains de l'immonde empereur Vespasien, par une lâche trahison... Ce nouveau héros de la Gaule, criblé de blessures, est livré aux animaux du cirque, comme notre aïeul Sylvest.

La mort de ce martyr de la liberté exaspéra les populations; sur tous les points de la Gaule, de nouvelles insurrections éclatent. La parole de Jésus de Nazareth, proclamant_ l'esclave l'égal de son maître_, commence à pénétrer dans notre pays, prêchée par des apôtres voyageurs; la haine contre l'oppression étrangère redouble: attaqués en Gaule de toutes parts, harcelés de l'autre côté du Rhin par d'innombrables hordes de Franks, guerriers barbares, venus du fond des forêts du Nord, en attendant le moment de fondre à leur tour sur la Gaule, les Romains capitulent avec nous; nous recueillons enfin le fruit de tant de sacrifices héroïques! Le sang versé par nos pères depuis trois siècles a fécondé notre affranchissement, car elles étaient prophétiques ces paroles du chant du Chef des cent vallées:

«Coule, coule, sang du captif! Tombe, tombe, rosée sanglante! Germe, grandis, moisson vengeresse!...»

Oui, mon enfant, elles étaient prophétiques ces paroles; car c'est en chantant ce refrain que nos pères ont combattu et vaincu l'oppression étrangère. Enfin, Rome nous rend une partie de notre indépendance; nous formons des légions gauloises, commandées par nos officiers; nos provinces sont administrées par des gouverneurs de notre choix. Rome se réserve seulement le droit de nommer un principat des Gaules, dont elle sera suzeraine; on accepte en attendant mieux; ce mieux ne se fait pas attendre. Épouvantés par nos continuelles révoltes, nos tyrans avaient peu à peu adouci les rigueurs de notre esclavage; la terreur devait obtenir d'eux ce qu'ils avaient impitoyablement refusé au bon droit, à la justice, à la voix suppliante de l'humanité: il ne fut plus permis au maître, comme du temps de notre aïeul Sylvest et de plusieurs de ses descendants, de disposer de la vie des esclaves, comme on dispose de la vie d'un animal. Plus tard, l'influence de la terreur augmentant, le maître ne put infliger des châtiments corporels à son esclave que par l'autorisation d'un magistrat. Enfin, mon enfant, cette horrible loi romaine, qui, du temps de notre aïeul Sylvest et des sept générations qui l'ont suivi, déclarait les esclaves hors de l'humanité, disant dans son féroce langage, _que l'esclave n'existe pas, qu'il _N'A PAS DE TÊTE (non caput habet, selon le langage romain), cette horrible loi, grâce à l'épouvante inspirée pas nos révoltes continuelles, s'était à ce point modifiée, que le code Justinien proclamait ceci:

«La liberté est le droit naturel; c'est le droit des gens qui a créé la servitude; il a créé aussi l'affranchissement, qui est le retour à la liberté naturelle.»

Ainsi donc, mon enfant, grâce à nos insurrections sans nombre, l'esclavage était remplacé par le colonat, sous le régime duquel ont vécu notre bisaïeul Justin et notre aïeul Aurel; c'estàdire qu'au lieu d'être forcés de cultiver, sous le fouet et au seul profit des Romains, les terres dont ceuxci nous avaient dépouillés par la conquête, les colons avaient une petite part dans le produits de la terre qu'ils faisaient valoir. On ne pouvait plus les vendre, comme des animaux de labour, eux et leurs enfants; on ne pouvait plus les torturer ou les tuer; mais ils étaient obligés, de père en fils, de rester, eux et leur famille, attachés à la même propriété. Lorsqu'elle se vendait, ils passaient au nouveau possesseur sous les mêmes conditions de travail. Plus tard, la condition des colons s'améliora davantage encore: ils jouirent de leurs droits de citoyens. Lorsque les légions gauloises se formèrent, les soldats dont elles furent composées redevinrent complètement libres. Mon père Ralf, fils de colon, regagna ainsi sa liberté; et moi, fils de soldat, élevé dans les camps, je suis né libre, et je te léguerai cette liberté, comme mon père me l'a léguée.

Lorsque tu liras ceci, mon enfant, après avoir eu connaissance des souffrances de nos aïeux, esclaves pendant sept générations, tu comprendras la sagesse des voeux de notre aïeul Joël, le brenn de la tribu de Karnak; tu verras combien justement il espérait que notre vieille race gauloise, en conservant pieusement le souvenir de sa bravoure et de son indépendance d'autrefois, trouverait dans son horreur de l'oppression romaine la force de la briser.

Aujourd'hui que j'écris ces lignes, j'ai trentehuit ans; mes parents sont morts depuis longtemps: Ralf, mon père, premier soldat d'une de nos légions gauloises, où il avait été enrôlé à dixhuit ans dans le midi de la Gaule, est venu dans ce paysci, près des bords du Rhin, avec l'armée; il a été de toutes batailles contre les Franks, ces hordes féroces, qui, attirés par le beau ciel et la fertilité de notre Gaule, sont campés de l'autre côté du Rhin, toujours prêts à l'invasion.

Il y a près de quarante ans, on craignit en Bretagne une descente des insulaires d'Angleterre: plusieurs légions, parmi lesquelles se trouvait celle de mon père, furent envoyées dans ce pays. Pendant plusieurs mois, il tint garnison dans la ville de Vannes, non loin de Karnak, le berceau de notre famille. Ralf, s'étant fait lire par un ami les récits de nos ancêtres, alla visiter avec un pieux respect le champ de bataille de Vannes, les pierres sacrées de Karnak, et les terres dont nous avions été, du temps de César, dépouillés par la conquête. Ces terres étaient au pouvoir d'une famille romaine; des colons, fils de Gaulois Bretons de notre ancienne tribu, autrefois réduits à l'esclavage, exploitent ces terres pour ceuxlà dont les ancêtres les avaient dépossédés. La fille de l'un de ces colons aima mon père et en fut aimée. Elle se nommait Madelène; c'était une de ces viriles et fières Gauloises, dont notre aïeule Margarid, femme de Joël, offrait le modèle accompli. Elle suivit mon père lorsque sa légion quitta la Bretagne pour revenir ici sur les bords du Rhin, où je suis né, dans le camp fortifié de Mayence, ville militaire, occupée par nos troupes. Le chef de la légion où servait mon père était fils d'un laboureur; son courage lui avait valu ce commandement. Le lendemain de ma naissance, la femme de ce chef mourait en mettant au monde une fille... une fille... qui, peutêtre, un jour, du fond de sa modeste maison, règnera sur le monde, comme elle règne aujourd'hui sur la Gaule; car, aujourd'hui, à l'heure où j'écris ceci, VICTORIA, par la juste influence qu'elle exerce sur son fils VICTORIN et sur notre armée, est de fait impératrice de la Gaule.

Victoria est ma soeur de lait; son père, devenu veuf, et appréciant les mâles vertus de ma mère, la supplia de nourrir cette enfant; aussi, elle et moi, avonsnous été élevés comme frère et soeur: à cette fraternelle affection, nous n'avons jamais failli... Victoria, dès ses premières années, était sérieuse et douce, quoiqu'elle aimât le bruit des clairons et la vue des armes. Elle devait être un jour belle, de cette auguste beauté, mélange de calme, de grâce et de force, particulière à certaines femmes de la Gaule. Tu verras des médailles frappées en son honneur dans sa première jeunesse; elle est représentée en Diane chasseresse, tenant un arc d'une main et de l'autre un flambeau. Sur une dernière médaille, frappée il y a deux ans, Victoria est figurée avec Victorin, son fils, sous les traits de Minerve accompagnée de Mars . À l'âge de dix ans, elle fut envoyée par son père dans un collège de druidesses. Cellesci, délivrées de la persécution romaine, par la renaissance de la liberté des Gaules, élevaient des enfants comme par le passé.

Victoria resta chez ces femmes vénérées jusqu'à l'âge de quinze ans; elle puisa dans leurs patriotiques et sévères enseignements un ardent amour de la patrie et des connaissances sur toutes choses: elle sortit de ce collège instruite des secrets du temps d'autrefois, et possédant, diton, comme Velléda et d'autres druidesses, la prévision de l'avenir. À cette époque, la virile et fière beauté de Victoria était incomparable... Lorsqu'elle me revit, elle fut heureuse et me le témoigna; son affection pour moi, son frère de lait, loin de s'affaiblir pendant notre longue séparation, avait augmenté.

Ici, mon enfant, je veux, je dois te faire un aveu, car tu ne liras ceci que lorsque tu auras l'âge d'homme: dans cet aveu, tu trouveras un bon exemple de courage et de renoncement.

Au retour de Victoria, si belle de sa beauté de quinze ans, j'avais son âge; je devins, quoique à peine adolescent, follement épris d'elle; je cachai soigneusement cet amour, autant par timidité que par suite du respect que m'inspirait, malgré le fraternel attachement dont elle me donnait chaque jour des preuves, cette sérieuse jeune fille, qui rapportait du collège des druidesses je ne sais quoi d'imposant, de pensif et de mystérieux. Je subis alors une cruelle épreuve. À quinze ans et demi, Victoria, ignorant mon amour (qu'elle doit toujours ignorer), donna sa main à un jeune chef militaire... Je faillis mourir d'une lente maladie, causée par un secret désespoir. Tant que dura pour moi le danger, Victoria ne quitta pas mon chevet; une tendre sœur ne m'eût pas comblé de soins plus dévoués, plus délicats... Elle devint mère... et quoique mère, elle accompagnait à la guerre son mari, qu'elle adorait. À force de raison, j'étais parvenu à vaincre, sinon mon amour, du moins ce qu'il y avait de violent, de douloureux, d'insensé dans cette passion; mais il me restait pour ma sœur de lait un dévouement sans bornes; elle me demanda de demeurer auprès d'elle et de son mari, comme l'un des cavaliers qui servent ordinairement d'escorte aux chefs gaulois, et écrivent ou portent leurs ordres militaires; j'acceptai. Ma sœur de lait avait dixhuit ans à peine, lorsque, dans une grande bataille contre les Franks, elle perdit le même jour son père et son mari... Restée veuve avec son enfant, pour qui elle prévoyait de glorieuses destinées, vaillamment réalisées aujourd'hui. Victoria ne quitta pas le camp. Les soldats, habitués à la voir au milieu d'eux, son fils dans ses bras, entre son père et son mari, savaient que plus d'une fois ses avis, d'une sagesse profonde, avaient, comme ceux de nos mères, prévalu dans les conseils des chefs; ils regardaient enfin comme d'un bon augure pour les armes gauloises la présence de cette jeune femme, élevée dans la science mystérieuse des druidesses. Ils la supplièrent, après la mort de son père et de son mari, de ne pas abandonner l'armée, lui déclarant, dans leur naïve affection, que son fils Victorin serait désormais le fils des camps, et elle la mère des camps. Victoria, touchée de tant d'attachement, resta au milieu des troupes, conservant sur les chefs son influence, les dirigeant dans le gouvernement de la Gaule, s'occupant d'élever virilement son fils, et vivant aussi simplement que la femme d'un officier.

Peu de temps après la mort de son mari, ma sœur de lait m'avait déclaré qu'elle ne se remarierait jamais, voulant consacrer sa vie toute entière à Victorin... Le dernier et fol espoir que j'avais, malgré moi, conservé en la voyant veuve et libre, s'évanouit: la raison me vint avec l'âge; oubliant mon malheureux amour, je ne songeai plus qu'à me dévouer à Victoria et à son enfant. Simple cavalier dans l'armée, je servais de secrétaire à ma sœur de lait; souvent elle me confiait d'importants secrets d'État, et parfois me chargeait de messages de confiance.

J'apprenais à Victorin à monter à cheval, à manier la lance et l'épée; je le chéris bientôt comme mon fils: on ne pouvait voir un plus aimable, un plus généreux naturel. Il grandit ainsi au milieu des soldats, qui s'attachèrent à lui par les mille liens de l'habitude et de l'affection. À quatorze ans, il fit ses premières armes contre les Franks, devenus pour nous d'aussi dangereux ennemis que l'avaient été les Romains... Je l'accompagnai: sa mère, à cheval, entourée d'officiers, resta, en vraie Gauloise, sur une colline d'où l'on découvrait le champ de bataille où combattait son fils... Il se comporta bravement et fut blessé. Ainsi habitué jeune à la vie de guerre, de grands talents militaires se développèrent en lui: intrépide comme le plus brave des soldats, habile et prudent comme un vieux capitaine, généreux autant que sa bourse le lui permettait, gai, ouvert, avenant à tous, il gagna de plus en plus l'attachement de l'armée. Les éloges que lui donne un historien contemporain (Trébellius Pollion) sont tellement magnifiques, qu'en faisant à l'exagération une large part, Victorin resterait encore un homme très éminent, qui partagea bientôt son adoration entre lui et sa mère... Vint enfin le jour où la Gaule, déjà presque indépendante, voulut partager avec Rome le gouvernement de notre pays; le pouvoir fut alors divisé entre un chef gaulois et un chef romain: Rome choisit Posthumus, et nos troupes acclamèrent d'une voix Victorin comme chef de Gaule et général de l'armée. Peu de temps après, il épousa une jeune fille dont il était aimé... Malheureusement elle mourut après une année de mariage, lui laissant un fils. Victoria, devenue aïeule, se voua à l'enfant de son fils comme elle s'était vouée à celuici.

Ma première résolution avait été de ne jamais me marier; cependant je fus à peu séduit par la grâce modeste et par les vertus de la fille d'un centenier de notre armée; c'était ta mère Ellèn que j'ai épousée il y a cinq ans, mon enfant.

Telle a été ma vie jusqu'à aujourd'hui, où je commence le récit qui va suivre.

Ce que je vais raconter s'est passé il y a huit jours. Ainsi donc, afin de préciser la date de ce récit pour notre descendance, il est écrit dans la ville de Mayence, défendue par notre camp fortifié des bords du Rhin, le cinquième jour du mois de juin, ainsi que disent les Romains, la septième année du principal de Posthumus et de Victorin en Gaule, deux cent soixantesept ans après la mort de Jésus de Nazareth, crucifié à Jérusalem sous les yeux de notre aïeule Geneviève.

Le camp gaulois, composé de tentes et de baraques légères, mais solides, avait été massé autour de Mayence, qui le dominait. Victoria logeait dans la ville; j'occupais une petite maison à peu de distance de la sienne.

Le matin du jour dont je parle, je me suis éveillé à l'aube, laissant ma bienaimée femme Ellèn encore endormie. Je la contemplai un instant: ses longs cheveux dénoués couvraient à demi son sein; sa tête, d'une beauté si douce, reposait sur l'un de ses bras replié, tandis qu'elle étendait l'autre sur ton berceau, mon enfant, comme pour te protéger, même pendant son sommeil... J'ai, d'un baiser, effleuré votre front à tous deux, de crainte de vous réveiller; il m'en a coûté de ne pas vous embrasser tendrement, à plusieurs reprises; je partais pour une expédition aventureuse; il se pouvait que le baiser que j'osais à peine vous donner, chers endormis, fût le dernier. Quittant la chambre où vous reposiez, je suis allé m'armer, endosser ma cuirasse pardessus ma saie, prendre mon casque et mon épée; puis je suis sorti de notre maison. Au seuil de notre porte j'ai rencontré Sampso, la soeur de ma femme, et, comme elle, aussi douce que belle; son tablier était rempli de fleurs humides de rosée, elle venait de les cueillir dans notre petit jardin. À ma vue, elle sourit et rougit de surprise.

Déjà levée, Sampso? lui disje. Je croyais, moi, être sur pied le premier... Mais pourquoi ces fleurs?

N'y atil pas aujourd'hui une année que je suis venue habiter avec ma soeur Ellèn et avec vous... oublieux Scanvoch? me réponditelle avec un sourire affectueux. Je veux fêter ce jour, selon notre vieille mode gauloise; j'ai été chercher ces fleurs pour orner la porte de la maison, le berceau de votre cher petit Aëlguen et la coiffure de sa mère... Mais vousmême, où allezvous si matin armé en guerre?

À la pensée de cette journée de fête, qui pouvait devenir une journée de deuil pour ma famille, j'ai étouffé un soupir et répondu à la soeur de ma femme en souriant aussi, afin de ne lui donner aucun soupçon:

Victoria et son fils m'ont hier soir chargé de quelques ordres militaires à porter au chef d'un détachement campé à deux lieues d'ici; l'habitude militaire est d'être armé pour porter de pareils messages.

Savezvous, Scanvoch, que vous devez faire beaucoup de jaloux?

Parce que ma soeur de lait emploie mon épée de soldat pendant la guerre et ma plume pendant la trêve?

Vous oubliez de dire que cette soeur de lait est Victoria la Grande... et que Victorin, son fils, a presque pour vous le respect qu'il aurait à l'égard du frère de sa mère... Il ne se passe presque pas de jour sans que lui ou Victoria vienne vous voir... Ce sont là des faveurs que beaucoup envient.

Aije jamais tiré parti de cette faveur, Sampso? Ne suisje pas resté simple cavalier; refusant toujours d'être officier; demandant pour toute grâce de me battre à la guerre à côté de Victorin?

À qui vous avez deux fois sauvé la vie, au moment où il allait périr sous les coups de ces Franks si barbares!

J'ai fait mon devoir de soldat et de Gaulois... Ne doisje pas sacrifier ma vie à celle d'un homme si nécessaire à notre pays?

Scanvoch, je ne veux pas que nous nous querellions; vous savez mon admiration pour Victoria, mais...

Mais je sais votre injustice à l'égard de son fils, lui disje en souriant, inique et sévère Sampso.

Estce ma faute si le dérèglement des moeurs est à mes yeux méprisable... honteux?

Certes, vous avez raison; cependant je ne peux m'empêcher d'avoir un peu d'indulgence pour quelques faiblesses de Victorin. Veuf à vingt ans, ne fautil pas l'excuser s'il cède parfois à l'entraînement de son âge? Tenez, chère et impitoyable Sampso, je vous ai fait lire les récits de notre aïeule Geneviève; vous êtes douce et bonne comme Jésus de Nazareth, imitez donc sa miséricorde envers les pécheurs. Il a pardonné à Madeleine parce qu'elle avait beaucoup aimé; pardonnez, au nom du même sentiment, à Victorin!

Rien de plus digne de pardon et de pitié que l'amour, lorsqu'il est sincère; mais la débauche n'a rien de commun avec l'amour... C'est comme si vous me disiez, Scanvoch, qu'il y a quelque comparaison à faire entre ma soeur ou moi... et ces bohémiennes hongroises arrivées depuis peu à Mayence...

Pour la beauté on pourrait vous les comparer, ainsi qu'à Ellèn, car on les dit belles à ravir d'admiration... Mais là s'arrête la comparaison, Sampso... J'ai peu de confiance dans la vertu de ces vagabondes, si charmantes, si parées qu'elles soient, qui vont de ville en ville chanter et danser pour divertir le public... lorsqu'elles ne font pas un pire métier...

Et pourtant, je n'en doute pas, un jour ou l'autre, vous verrez Victorin, lui un général d'armée! lui un des deux chefs de la Gaule, accompagner à cheval de chariot où ces bohémiennes vont se promener chaque soir sur les bords du Rhin... Et si je m'indigne de ce que le fils de Victoria a servi d'escorte à de pareilles créatures, alors vous me répondrez sans doute: Pardonnez à ce pécheur, de même que Jésus a pardonné à Madeleine, la pécheresse... Allez, Scanvoch, l'homme qui se complaît dans d'indignes amours est capable de...

Mais Sampso s'interrompit.

Achevez, lui disje, achevez, je vous prie.

Non, ditelle après un moment de réflexion, le temps n'est pas venu; je ne voudrais pas hasarder une parole légère.

Tenez, lui disje en souriant, je suis sûr qu'il s'agit de quelqu'un de ces contes ridicules qui courent depuis quelque temps dans l'armée au sujet de Victorin, sans qu'on sache la source de ces méchantes menteries. Pouvez-vous, Sampso... vous... avec votre saine raison, avec votre bon coeur, vous faire l'écho de pareilles histoires?

Adieu, Scanvoch; je vous ai dit que je ne voulais pas me quereller au sujet de votre héros; vous le défendez envers et contre tous...

Que voulez-vous? c'est mon faible; j'aime sa mère comme ma soeur... j'aime son fils comme s'il était le mien. Ne faites-vous pas ainsi que moi, Sampso? Mon petit Aëlguen, le fils de votre soeur, ne vous est-il pas aussi cher que vous le serait votre enfant? Croyez-moi... lorsque Aëlguen aura vingt ans et que vous l'entendrez accuser de quelque folie de jeunesse, vous le défendrez, j'en suis sûr, encore plus chaudement que je ne défends Victorin... D'ailleurs, ne commencez-vous pas dès à présent votre rôle de défenseur? Oui, lorsque l'espiègle est coupable de quelque grosse faute, n'est-ce pas sa tante Sampso qu'il va trouver pour la prier de le faire pardonner? Vous l'aimez tant!

L'enfant de ma soeur n'est-il pas le mien!

Voilà donc pourquoi vous ne voulez pas vous marier?

Certainement mon frère, répondit-elle en rougissant avec une sorte d'embarras.

Puis, après un moment de silence, elle reprit:

Vous serez, je l'espère, de retour ici vers le milieu du jour, pour que notre petite fête soit complète?

Mon devoir accompli, je reviendrai. Au revoir, Sampso.

Au revoir, Scanvoch.

Et laissant la soeur de ma femme occupée à placer un bouquet dans l'un des anneaux de la porte de notre maison, je m'éloignai en réfléchissant à notre entretien.

Souvent je m'étais demandé pourquoi Sampso, plus âgée d'un an qu'Ellèn, et aussi belle, aussi vertueuse qu'elle, avait jusqu'alors repoussé plusieurs offres de mariage; parfois je supposais qu'elle ressentait quelque amour caché; d'autres fois qu'elle appartenait à une de ces affiliations chrétiennes qui commençaient à se répandre, et dans lesquelles les femmes faisaient voeu de chasteté comme plusieurs de nos druidesses. Un moment aussi je me demandai la cause de la réticence de Sampso au sujet de Victorin; puis j'oubliai ces pensées pour ne songer qu'à l'expédition dont j'étais chargé. M'acheminant vers les avant postes du camp, je m'adressai à un officier, à qui je fis lire quelques lignes écrites de la main de Victorin. Aussitôt l'officier mit à sa disposition quatre soldats d'élite, excellents rameurs choisis parmi ceux qui avaient l'habitude de manoeuvrer les barques de la flottille militaire destinée à remonter ou à descendre le Rhin pour défendre au besoin notre camp fortifié. Ces quatre soldats, sur ma recommandation, ne prirent pas d'armes; moi seul étais armé. En passant devant un bouquet de chênes, je leur fis couper quelques branchages, destinés à être placés à la proue du bateau qui devait nous transporter. Nous arrivons bientôt sur la rive du fleuve; là étaient amarrées plusieurs barques réservées au service de l'armée. Pendant que deux des soldats placent à l'avant de l'embarcation les feuillages de chêne dont je les avais munis, les deux autres examinent les rames d'un air exercé, afin de s'assurer qu'elles sont en bon état; je me mets au gouvernail, nous quittons le bord.

Les quatre soldats avaient ramé en silence pendant quelque temps, lorsque le plus âgé des quatre, vétéran à moustaches grises, me dit:

Il n'y a rien de tel qu'un bardit gaulois pour faire passer le temps et manoeuvrer les rames en cadence; on dirait qu'un vieux refrain national répété en choeur rend les avirons moins pesants. Peuton chanter, ami Scanvoch?

Tu me connais?

Qui ne connaît dans l'armée le frère de lait de la mère des camps?

Simple cavalier, je me croyais plus obscur.

Tu es resté simple cavalier malgré l'amitié de notre Victoria pour toi; voilà pourquoi, Scanvoch, chacun te connaît et chacun t'aime.

Vrai, tu me rends heureux en me disant cela. Comment te nommes tu?

Douarnek.

Tu es Breton?

Des environs de Vannes.

Ma famille aussi est originaire de ce pays.

Je m'en doutais, car l'on t'a donné un nom breton. Eh bien, ce bardit, peuton le chanter, ami Scanvoch? Notre officier nous a donné l'ordre de t'obéir comme à lui; j'ignore où tu nous conduis, mais un chant s'entend de loin, surtout lorsqu'il s'agit d'un bardit national entonné en chœur par de vigoureux garçons à larges poitrines... Ou peutêtre ne fautil pas attirer l'attention sur notre barque?

Maintenant, tu peux chanter... Plus tard... non.

Alors, qu'allonsnous chanter, enfants? dit le vétéran en continuant de ramer, ainsi que ses compagnons, et tournant seulement la tête de leur côté; car, placé au premier banc, il me faisait face. Voyons... choisissez...

Le bardit des Marins, dit un des soldats.

C'est bien long, mes enfants, reprit Douarnek.

Le bardit du Chef des cent vallées?

C'est bien beau, reprit Douarnek; mais c'est un chant d'esclaves attendant leur délivrance, et par les os de nos pères? nous sommes libres aujourd'hui dans la vieille Gaule!

Ami Douarnek, lui disje, c'est au refrain de ce chant d'esclaves: Coule, coule, sang du captif! Tombe, tombe, rosée sanglante! que nos pères, les armes à la main, ont reconquis cette liberté dont nous jouissons.

C'est vrai, Scanvoch... mais ce bardit est long, et tu nous as prévenus que nous devions bientôt rester muets comme les poissons du Rhin.

Douarnek, reprit un jeune soldat, si tu nous chantais le bardit d'Hêna, la vierge de l'île de Sên...? Il me fait toujours venir les larmes aux yeux; car c'est ma sainte, à moi, cette belle et douce Hêna, qui vivait il y a des cents et des cents ans!

Oui, oui, reprirent les trois autres soldats, chantenous le bardit d'Hêna, Douarnek; ce bardit prophétise la victoire de la Gaule... et la Gaule est victorieuse aujourd'hui.

Moi, entendant cela, je ne disais rien; mais j'étais ému, heureux, et je l'avoue, fier, en songeant que le nom d'Hêna, morte depuis plus de trois cents ans, était resté populaire en Gaule comme au temps de mon aïeul Sylvest, et allait être chanté.

Va pour le bardit d'Hêna, reprit le vétéran, j'aime aussi cette sainte et douce fille, qui offre son sang à Hésus pour la délivrance de la Gaule; et toi, Scanvoch, le saistu, ce chant?

Oui... à peu près... je l'ai déjà entendu...

Tu le sauras toujours assez pour répéter le refrain avec nous.

Et Douarnek se mit à chanter, d'une voix pleine et sonore qui, au loin, domina le bruit des grandes eaux du Rhin:

«Elle était jeune, elle était belle, elle était sainte.

«Elle a donné son sang à Hésus pour la délivrance de la Gaule!

«Elle s'appelait Hêna! Hêna, la vierge de l'île de Sên.

«Bénis soient les dieux, ma douce fille, lui dit son père Joël, le brenn de la tribu de Karnak, bénis soient les dieux, ma douce fille, puisque te voilà ce soir dans notre maison pour fêter le jour de ta naissance!

«Bénis soient les dieux, ma douce fille, lui dit sa mère Margarid, bénie soit ta venue! Mais ta figure est triste?

«Ma figure est triste, ma bonne mère, ma figure est triste, mon bon père, parce qu'Hêna, votre fille, vient vous dire adieu et au revoir.

«Et où vastu, chère fille? Le voyage sera donc bien long? Où vas tu ainsi?

«Je vais dans ces mondes mystérieux que personne ne connaît et que tous nous connaîtrons, où personne n'est allé et où tous nous irons, pour revivre avec ceux que nous avons aimés.»

Et moi et les rameurs, nous avons repris en choeur:

«Elle était jeune, elle était belle, elle était sainte...

«Elle a donné son sang à Hésus pour la délivrance de la Gaule!

«Elle s'appelait Hêna! Hêna, la vierge de l'île de Sên.»

Douarnek continua son chant:

«Et entendant Hêna dire ces parolesci, bien tristement se regardèrent et son père et sa mère, et tous ceux de sa famille, et aussi les petits enfants, car Hêna avait un grand faible pour l'enfance.

« Pourquoi donc, chère fille, pourquoi donc déjà quitter ce monde, pour t'en aller ailleurs sans que l'ange de la Mort t'appelle?

« Mon bon père, ma bonne mère, Hésus est irrité, l'étranger menace notre Gaule bienaimée. Le sang innocent d'une vierge, offert par elle aux dieux, peut apaiser leur colère...

«Adieu donc et au revoir, mon bon père, ma bonne mère! Adieu et au revoir, vous tous, mes parents et mes amis! Gardez ces colliers, ces anneaux en souvenir de moi que je baise une dernière fois vos têtes blondes, chers petits! Adieu et au revoir! Souvenezvous d'Hêna, votre amie; elle va vous attendre dans les mondes inconnus.»

Et moi et les rameurs nous avons repris en choeur, au bruit cadencé des rames:

«Elle était jeune, elle était belle, elle était sainte!

«Elle a offert son sang à Hésus pour la délivrance de la Gaule!

«Elle s'appelait Hêna, Hêna, la vierge de l'île de Sèn.»

Douarnek continua le bardit:

«Brillante est la lune, grand est le bûcher qui s'élève auprès des pierres sacrées de Karnak; immense est la foule des tribus qui se pressent autour du bûcher.

«La voilà! c'est elle! c'est Hêna!... Elle monte sur le bûcher, sa harpe d'or à la main, et elle chante ainsi:

« Prends mon sang, ô Hésus! et délivre mon pays de l'étranger! Prends mon sang, ô Hésus! pitié pour la Gaule! Victoire à nos armes!

«Et il a coulé, le sang d'Hêna!

«Ô vierge sainte! il n'aura pas en vain coulé, ton sang innocent et généreux! Courbée sous le joug, la Gaule un jour se relèvera libre et fière, en criant comme toi: Victoire à nos armes! victoire et liberté!»

Et Douarnek, ainsi que les trois soldats, répétèrent à voix plus basse ce dernier refrain avec une sorte de pieuse admiration:

«Cellelà qui a ainsi offert son sang à Hésus pour la délivrance de la Gaule!

«Elle était jeune, elle était belle, elle était sainte!

«Elle s'appelait Hêna, Hêna, la vierge de l'île de Sên!

Moi seul je n'ai pas répété avec les soldats le dernier refrain du bardit, tant je me sentais ému.

Douarnek, remarquant mon émotion et mon silence, me dit d'un air surpris:

Quoi! Scanvoch, voici maintenant que la voix te manque! Tu restes muet pour achever un chant si glorieux?

Tu dis vrai, Douarnek; c'est parce que ce chant est glorieux pour moi... que tu me vois ému.

Glorieux pour toi, ce bardit; je ne te comprends pas.

Hêna était fille d'un de mes aïeux!

Que distu?

Hêna était fille de Joël, le brenn de la tribu de Karnak, mort, ainsi que sa femme et presque toute sa famille, à la grande bataille de Vannes, livrée sur terre et sur mer il y a plus de trois siècles; moi, de père en fils, je descends de Joël.

Le chant d'Hêna était si connu en Gaule que je vis (pourquoi le nier?) avec un doux orgueil les soldats me regarder presque avec respect.

Saistu, Scanvoch, reprit Douarnek, saistu que des rois seraient fiers de tes aïeux?

Le sang versé pour la patrie et la liberté, c'est notre noblesse, à nous autres Gaulois, lui disje; voilà pourquoi nos vieux bandits sont chez nous si populaires.

Quand on pense, reprit le plus jeune des soldats, qu'il y a plus de trois cents ans qu'Hêna, cette douce et belle sainte, a offert sa vie pour la délivrance du pays, et que son nom est venu jusqu'à nous!

Quoique la voix de la jeune vierge ait mis plus de deux siècles à monter jusqu'aux oreilles d'Hésus (c'est tout simple, il est placé si haut), reprit Douarnek, cette voix est parvenue jusqu'à lui, puisque nous pouvons dire aujourd'hui: Victoire à nos armes! victoire et liberté!

Nous étions arrivés vers le milieu du Rhin, à l'endroit où ses eaux sont trèsrapides.

Douarnek me demanda en relevant ses rames:

Entreronsnous dans le fort du courant? Ce serait une fatigue inutile, si nous n'avions qu'à remonter ou à descendre le fleuve à la distance où nous voici de la rive que nous venons de quitter.

Il faut traverser le Rhin dans toute sa largeur, ami Douarnek.

Le traverser?... s'écria le vétéran en me regardant d'un air ébahi. Traverser le Rhin!... Et pourquoi faire?

Pour aborder à l'autre rive.

Y pensestu, Scanvoch? L'armée de ces bandits franks, si on peut honorer du nom d'armée ces hordes sauvages, n'estelle pas campée sur l'autre bord?

C'est au milieu de ces barbares que je me rends.

Pendant quelques instants, la manoeuvre des rames fut suspendue; les soldats, interdits et muets, se regardèrent les uns les autres, comme s'ils avaient peine à croire à ma résolution.

Douarnek rompit le premier le silence, et me dit avec son insouciance de soldat:

C'est alors une espèce de sacrifice à Hésus que nous allons lui offrir en livrant notre peau à ces écorcheurs? Si tel est l'ordre, en avant! Allons, enfants, à nos rames!...

Oubliestu, Douarnek, que, depuis huit jours, nous sommes en trêve avec les Franks?

Il n'y a jamais trêve pour de pareils brigands!

Tu vois, j'ai fait, en signe de paix, garnir de feuillage l'avant de notre bateau; je descendrai seul dans le camp ennemi, une branche de chêne à la main...

Et ils te massacreront, malgré ta branche de chêne, comme ils ont massacré d'autres envoyés en temps de trêve.

C'est possible, ami Douarnek; mais si le chef commande, le soldat obéit. Victoria et son fils m'ont ordonné d'aller au camp des Franks; j'y vais!

Ce n'est pas par peur, au moins, Scanvoch, que je te disais que ces sauvages ne nous laisseraient pas nos têtes sur nos épaules... et notre peau sur le corps... J'ai parlé par vieille habitude de sincérité ... Allons, ferme, enfants! ferme à vos rames!... c'est à un ordre de notre mère... de la mère des camps que nous obéissons... En avant! en avant!... dussionsnous être écorchés vifs par ces barbares, divertissement qu'ils se donnent souvent aux dépens de nos prisonniers.

On dit aussi, reprit le jeune soldat d'une voix moins assurée que celle de Douarnek, on dit aussi que ces prêtresses d'enfer qui suivent les bordes franques mettent parfois nos prisonniers bouillir tout vivants dans de grandes chaudières d'airain, avec certaines herbes magiques.

Eh! eh! reprit joyeusement Douarnek, celui de nous qui sera mis ainsi à bouillir, mes enfants, aura du moins l'avantage de goûter le premier de son propre bouillon... cela console... Allons, enfants, ferme sur nos rames! nous obéissons à un ordre de la mère des camps...

Oh! nous ramerions droit à un abîme si Victoria l'ordonnait!

Elle est bien nommée la mère des camps et des soldats; il faut la voir après chaque bataille allant visiter les blessés!

Et leur disant de ces paroles qui font regretter aux valides de n'avoir pas de blessures.

Et puis, si belle... si belle!...

Oh! quand elle passe dans le camp, montée sur son cheval blanc, vêtue de sa longue robe noire, le front si fier sous son casque, et pourtant l'oeil si doux, le sourire si maternel... c'est comme une vision!

On assure que notre Victoria connaît aussi bien l'avenir que le présent.

Il faut qu'elle ait un charme; car qui croirait jamais, à la voir, qu'elle est mère d'un fils de vingtdeux ans?

Ah! si le fils avait tenu ce qu'il promettait!

On l'aimerait comme on l'aimait autrefois.

Oui, et c'est vraiment dommage, reprit Douarnek en secouant la tête d'un air chagrin, après avoir ainsi laissé parler les autres soldats; oui, c'est grand dommage! Ah! Victorin n'est plus cet enfant des camps que nous autres vieux à moustaches grises, qui l'avions vu naître et fait danser sur nos genoux, nous regardions, il y a peu de temps encore, avec orgueil et amitié.

Ces paroles des soldats me frappèrent; nonseulement j'avais souvent eu à défendre Victorin contre la sévère Sampso, mais je m'étais aperçu dans l'armée d'une sourde hostilité contre le fils de ma soeur de lait, lui jusqu'alors l'idole de nos soldats.

Qu'avezvous donc à reprocher à Victorin? disje à Douarnek et à ses compagnons. N'estil pas brave... entre les plus braves? Ne l'avezvous pas vu à la guerre?

Oh! s'il s'agît de se battre... il se bat vaillamment... aussi vaillamment que toi, Scanvoch, quand tu es à ses côtés, sur ton grand cheval gris, songeant plus à défendre le fils de ta soeur de lait qu'à te défendre toimême... Tes cicatrices le diraient si elles pouvaient parler par la bouche de tes blessures, selon notre vieux proverbe gaulois.

Moi, je me bats en soldat; Victorin se bat en capitaine... Et ce capitaine de vingtdeux ans n'atil pas déjà gagné cinq grandes batailles contre les Germains et les Franks?

Sa mère, notre Victoria, la bien nommée, a dû, par ses conseils, aider à la victoire, car il confère avec elle de ses plans de combat... mais, enfin, c'est vrai, Victorin est bon capitaine.

Et sa bourse, tant qu'elle est pleine, n'estelle pas ouverte à tous? Connaistu un invalide qui se soit en vain adressé à lui?

Victorin est généreux... c'est encore vrai...

N'estil pas l'ami, le camarade du soldat? Estil fier?

Non, il est bon compagnon et de joyeuse humeur; d'ailleurs, pourquoi seraitil fier? Son père, sa victorieuse mère et lui ne sontils pas, comme nous autres, gens de plèbe gauloise?

Ne saistu pas, Douarnek, que souvent les plus fiers sont ceux là qui sont partis de plus bas?

Victorin n'est point orgueilleux, c'est dit.

À la guerre, ne dortil pas sans abri, la tête sur la selle de son cheval, ainsi que nous autres cavaliers?

Élevé par une mère aussi virile que la sienne, il devait devenir un rude soldat, il l'est devenu.

Ignorestu qu'il montre dans le conseil une maturité que beaucoup d'hommes de notre âge ne possèdent point? N'estce pas, enfin, sa bravoure, sa bonté, sa raison, ses rares qualités de soldat et de capitaine, qui l'ont fait acclamer par l'armée général et l'un des deux chefs de la Gaule?

Oui, mais en le choisissant, nous savions, nous autres, que sa mère Victoria, la belle et la grande, serait toujours près de lui, le guidant, l'éclairant, tout en cousant ses toiles de lingerie, la digue matrone, à côté du berceau de son petitfils, selon son habitude de bonne ménagère.

Personne mieux que moi ne sait combien sont sages et précieux pour notre pays les conseils que Victoria donne à son fils. Mais qu'y atil de changé? N'estelle pas là, veillant sur Victorin et sur la Gaule, qu'elle aime d'un pareil et maternel amour?... Voyons, Douarnek, répondsmoi avec ta franchise de soldat: d'où vient cette hostilité, qui, je le crains, va toujours empirant contre Victorin?

Écoute, Scanvoch; je suis, comme toi, un vieux et franc soldat, car ta moustache, plus jeune que la mienne, commence à grisonner. Tu veux la vérité? La voici. Nous savons tous que la vie des camps ne rend pas les gens de guerre chastes et réservés comme des jeunes filles élevées chez nos druidesses vénérées; nous savons encore, parce que nous en avons bu souvent, oh! trèssouvent, que notre vin des Gaules nous met en humeur joyeuse ou tapageuse... Nous savons enfin qu'en garnison le jeune et fringant soldat, qui porte fièrement sur l'oreille une aigrette à son casque, en caressant sa moustache blonde ou brune, ne garde pas longtemps pour chers amis les pères qui ont de jolies filles ou les maris qui ont de jolies femmes... Mais tu m'avoueras, Scanvoch, qu'un soldat, qui d'habitude s'enivre comme une brute, et qui fait lâchement violence aux femmes, mérite d'être régalé d'une centaine de coups de ceinturon bien appliqués sur l'échine, et d'être ensuite chassé honteusement du camp: estce vrai?

C'est vrai; mais pourquoi me dire ceci à propos de Victorin?

Écoute encore, ami Scanvoch, et répondsmoi. Si un obscur soldat mérite ce châtiment pour sa honteuse conduite, que mériterait un chef d'armée qui se dégraderait ainsi?...

Oseraistu prétendre que Victorin ait jamais fait violence à une femme et qu'il s'enivre chaque jour? m'écriaije indigné. Je dis que tu mens, ou que ceux qui t'ont rapporté cela ont menti... Voilà donc ces bruits indignes qui circulent dans le camp sur Victorin! Et vous êtes assez simples ou assez enclins à la calomnie pour les croire?...

Le soldat n'est déjà pas si simple, ami Scanvoch; seulement il n'ignore pas le vieux proverbe gaulois: _On n'attribue les brebis perdues qu'aux possesseurs de troupeaux... _Ainsi, par exemple, tu connais le capitaine Marion? tu sais? cet ancien ouvrier forgeron?...

Oui, l'un des meilleurs officiers de l'armée...

Le fameux capitaine Marion, qui porte un boeuf sur ses épaules, ajouta un des soldats, et qui peut abattre ce boeuf d'un seul coup de poing, aussi pesant que la niasse de fer d'un boucher.

Et le capitaine Marion, ajouta un autre rameur, n'en est pas moins bon compagnon, malgré sa force et sa gloire; car il a pour ami de guerre, pour saldune, comme on disait au temps jadis, un soldat, son ancien camarade de forge.

Je connais la bravoure, la modestie, la haute raison et l'austérité du capitaine Marion, leur disje; mais à quel propos le comparer à Victorin?...

Un mot encore, ami Scanvoch. Astu vu, l'autre jour, entrer dans Mayence ces deux bohémiennes traînées dans leur chariot par des mules couvertes de grelots, et conduites par un négrillon?

Je n'ai pas vu ces femmes, mais j'ai entendu parler d'elles.
Mais, encore une fois, à quoi bon tout ceci à propos de Victorin?
Je t'ai rappelé le proverbe: On n'attribue les brebis perdues qu'aux possesseurs de troupeaux... parce que l'on aurait beau attribuer au capitaine Marion des habitudes d'ivrognerie et de violence envers les femmes, que, malgré sa simplesse, le soldat ne

croirait pas un mot de ces mensonges, n'estce pas? De même que, si l'on attribuait quelque débauche à ces coureuses bohémiennes, le soldat croirait à ces bruits?

Je te comprends, Douarnek, et comme toi je serai sincère... Oui, Victorin aime la gaieté du vin, en compagnie de quelques camarades de guerre... Oui, Victorin, resté veuf à vingt ans, après quelques mois de mariage, a parfois cédé aux entraînements de la jeunesse; sa mère a souvent regretté, ainsi que moi, qu'il ne fût pas d'une sévérité de mœurs, d'ailleurs assez rare à son âge... Mais, par le courroux des dieux! moi, qui n'ai pas quitté Victorin depuis son enfance, je nie que l'ivresse soit chez lui une habitude; je nie surtout qu'il ait jamais été assez lâche pour violenter une femme!...

Ton bon cœur te fait défendre le fils de ta sœur de lait, Scanvoch, quoique tu le saches coupable, à moins que tu nies ce que tu ignores...

Qu'estce que j'ignore?

Une aventure que chacun sait dans le camp.

Quelle aventure? Disla...

Il y a quelque temps, Victorin et plusieurs officiers de l'armée ont été boire et se divertir dans une des îles des bords du Rhin où se trouve une taverne... Le soir venu, Victorin, ivre comme d'habitude, a fait violence à l'hôtesse; celleci, dans son désespoir, s'est jetée dans le fleuve... où elle s'est noyée...

Un soldat qui se conduirait ainsi sous un chef sévère, dit un des rameurs, porterait sa tête sur le billot...

Et ce supplice, il l'aurait mérité, ajouta un autre rameur; j'aimerais, comme un autre, à rire avec mon hôtesse; mais lui faire violence, c'est une sauvagerie digne de ces écorcheurs franks dont les prêtresses, cuisinières du diable, font bouillir nos prisonniers dans leur chaudière.

J'étais resté si stupéfait de l'accusation portée contre Victorin, que, pendant un moment, j'avais gardé le silence; mais je m'écriai:

Mensonge!... mensonge aussi infâme que l'eût été une pareille conduite! Qui ose accuser le fils de Victorin d'un tel crime?

Un homme bien informé, me répondit Douarnek.

Son nom? le nom de ce menteur?

Il s'appelle Morix; il était le secrétaire d'un parent de
Victoria, venu au camp il y a un mois.
Ce parent est Tétrik, gouverneur de Gascogne, disje stupéfait; cet homme est la bonté,
la loyauté mêmes, un des plus anciens, des plus fidèles amis de Victoria.

Alors le témoignage de cet homme n'en est que plus certain.

Quoi! lui, Tétrik! il aurait affirmé ce que tu racontes?

Il en a fait part et l'a confirmé à son secrétaire, en déplorant l'horrible dissolution des
moeurs de Victorin.

Mensonge! Tétrik n'a que des paroles de tendresse et d'estime pour le fils de Victoria.

Scanvoch, nous sommes tous deux Bretons; je sers dans l'armée depuis vingtcinq ans:
demande à mes officiers si Douarnek est un menteur.

Je te crois sincère, mais l'on t'a indignement abusé!

Morix, le secrétaire de Tétrik, a raconté l'aventure, non pas seulement à moi, mais à
bien d'autres soldats du camp, auxquels il payait à boire... Cet homme a été cru sur
parole, parce que plus d'une fois, moi, comme beaucoup de mes compagnons, nous
avons vu Victorin et ses amis, échauffés par le vin, se livrer à de folles prouesses.

L'ardeur du courage n'échauffetelle pas les jeunes têtes autant que le vin?

Écoute, Scanvoch, j'ai vu de mes yeux Victorin pousser son cheval dans le Rhin, disant
qu'il voulait le traverser, et il eût été noyé si moi et un autre soldat, nous jetant dans une
barque, n'avions été le repêcher demiivre, tandis que le courant entraînait son cheval...
un superbe cheval noir, ma foi... Saistu ce qu'alors Victorin nous a dit? «Il fallait me
laisser boire, puisque ce fleuve coule du vin blanc de Béziers.» Ce que je raconte n'est
pas un conte, Scanvoch; je l'ai vu de mes yeux, je l'ai entendu de mes oreilles.

À cela, malgré mon attachement pour Victorin, je ne pus rien répondre: je le savais
incapable d'une lâcheté, d'une infamie; mais aussi je le savais capable de dangereuses
étourderies.

Quant à moi, reprit un autre soldat, j'ai souvent vu, étant de faction près de la demeure
de Victorin, séparée de celle de sa mère par un jardin, des femmes voilées sortir à l'aube

de son logis; il en sortait de grandes, il en sortait de petites, il en sortait de grosses, il en sortait de maigres, à moins que le crépuscule ne me troublât la vue et que ce fût toujours la même femme.

À cela, ta sincérité n'a rien à répondre, ami Scanvoch, me dit Douarnek; car, en effet, je n'avais pu contredire cette autre accusation. Ne t'étonne donc plus de notre croyance aux paroles du secrétaire de Tétrik... Voyons, avouele, celui qui, dans son ivresse, prend le Rhin pour un fleuve de vin de Béziers, celui de chez qui sort à l'aube une pareille procession de femmes, ne peut il pas, dans son ivresse, vouloir faire violence à son hôtesse?

Non m'écriaije, non! L'on peut avoir les défauts de son âge, sans être pour cela un infâme!

Tiens, Scanvoch, tu es l'ami de notre mère à tous, de Victoria, la belle et l'auguste; tu chéris Victoria comme son fils; dislui ceci: Les soldats, même les plus grossiers, les plus dissolus, n'aiment pas à retrouver leurs vices dans les chefs qu'ils ont choisis; aussi, de jour en jour, l'affection de l'armée se retire de Victorin pour se reporter tout entière sur Victoria.

Oui, lui disje en réfléchissant; et cela seulement, n'estce pas? depuis que Tétrik, le gouverneur de Gascogne, parent et ami de Victoria, a fait un dernier voyage au camp. Jusqu'alors on avait aimé le jeune général, malgré les faiblesses de son âge.

C'est vrai; il était si bon, si brave, si avenant pour chacun! Il était si beau à cheval! il avait une si fière tournure militaire! Nous l'aimions comme notre enfant, ce jeune capitaine! Nous l'avions vu naître et fait danser tout petit sur nos genoux aux veillées du camp; plus tard, nous fermions les yeux sur ses faiblesses, car les pères sont toujours indulgents; mais pour des indignités, pas d'indulgence!

Et de ces indignités, reprisje de plus en plus frappé de cette circonstance qui, rappelant à mon esprit certains souvenirs, éveillait aussi en moi une vague défiance, et de ces indignités il n'existe pas d'autre preuve que la parole du secrétaire de Tétrik?

Ce secrétaire nous a rapporté les paroles de son maître, rien de plus...

Pendant cet entretien, auquel je prêtais une attention de plus en plus vive, notre barque, conduite par les quatre vigoureux rameurs, avait traversé le Rhin dans toute sa largeur; les soldats tournaient le dos à la rive où nous allions aborder; moi, j'étais tellement absorbé par ce que j'apprenais de la désaffection croissante de l'armée à l'égard de Victorin, que je n'avais pas songé à jeter les yeux sur le rivage, dont nous approchions de plus en plus... Soudain j'entendis une foule de sifflements aigus retentir autour de nous et je m'écriai:

Jetezvous à plat sur les bancs!

Il était trop tard.; une volée de longues flèches criblait notre bateau: l'un des rameurs fut tué, tandis que Douarnek, qui pour ramer tournait le dos à l'avant de la barque, reçut un trait dans l'épaule.

Voilà comme les Franks accueillent les parlementaires en temps de trêve, dit le vétéran sans discontinuer de ramer et même sans retourner la tête; c'est la première fois que je suis frappé par derrière. Cette flèche dans le dos sied mal à un soldat; arrache lamoi vite, camarade, ajoutatil en s'adressant au rameur devant lequel il était placé.

Mais Douarnek, malgré ses efforts, manoeuvrait sa rame avec moins de vigueur; et quoique la plaie fût légère, son sang coulait avec abondance.

Je te l'avais bien dit, Scanvoch, repritil, que tes branches de paix nous seraient de mauvais remparts contre la traîtrise de ces écorcheurs franks... Allons, enfants, ferme à nos rames, puisque nous ne sommes plus que trois; car notre camarade, qui se débat le nez sur son banc, ne peut plus compter pour un rameur!

Douarnek n'avait pas achevé ces paroles, que, m'élançant à l'avant de la barque en passant pardessus le corps du soldat qui rendait le dernier soupir, je saisis une des branches de chêne et l'agitai audessus de ma tête en signal de paix.

Une seconde volée de flèches, partie de derrière un escarpement de la rive, répondit à mon signal: l'une m'effleura le bras, l'autre s'émoussa sur mon casque de fer; mais aucun soldat ne fut atteint. Nous étions alors à peu de distance du rivage; je me jetai à l'eau; elle me montait jusqu'aux épaules, et je dis à Douarnek:

Fais force de rames pour te mettre hors de portée des flèches, puis tu ancreras le bateau, et vous m'attendrez sans danger... Si après le coucher du soleil je ne suis pas de retour, retourne au camp, et dis à Victoria que j'ai été fait prisonnier ou massacré par les Franks; elle prendra soin de ma femme Ellèn et de mon fils Aëlguen...

Cela me fâche de te laisser aller seul parmi ces écorcheurs, ami Scanvoch, dit Douarnek; mais nous faire tuer avec toi, c'est t'ôter tout moyen de revenir à notre camp, si tu as le bonheur de leur échapper... Bon courage, Scanvoch... À ce soir...

Et la barque s'éloigna rapidement pendant que je gagnais le rivage.

CHAPITRE II

À peine eusje touché le bord, tenant ma branche d'arbre à la main, que je vis sortir des rochers, où ils étaient embusqués, un grand nombre de Franks, appartenant à ces hordes de leur armée qui portent des boucliers noirs, des casaques de peau de mouton noires, et se teignent les bras, les jambes et la figure, afin de se confondre avec les ténèbres lorsqu'ils sont en embuscade ou qu'ils tentent une attaque nocturne. Leur aspect était d'autant plus étrange et hideux, que les chefs de ces hordes noires avaient sur le front, sur les joues et autour des yeux, des tatouages d'un rouge éclatant... Je parlais assez bien la langue franque, ainsi que plusieurs officiers et soldats de l'armée, depuis longtemps habitués dans ces parages.

Les guerriers noirs, poussant des hurlements sauvages, m'entourèrent de tous côtés, me menaçant de leurs longs couteaux, dont les lames étaient noircies au feu.

La trêve est conclue depuis plusieurs jours! leur aije crié. Je viens, au nom du chef de l'armée gauloise, porter un message aux chefs de vos hordes... Conduisezmoi vers eux... Vous ne tuerez pas un homme désarmé...

Et en disant cela, convaincu de la vanité d'une lutte, j'ai tiré mon épée et l'ai jetée au loin. Aussitôt ces barbares se précipitèrent sur moi en redoublant leurs cris de mort... Quelquesuns détachèrent les cordes de leurs arcs, et malgré mes efforts me renversèrent et me garrottèrent; il me fut impossible de faire un mouvement.

Écorchonsle, dit l'un; nous porterons sa peau sanglante au grand chef Néroweg; elle lui servira de bandelettes pour entourer ses jambes.

Je savais qu'en effet les Franks enlevaient souvent, avec beaucoup de dextérité, la peau de leurs prisonniers, et que les chefs de hordes se paraient triomphalement de ces dépouilles humaines. La proposition de l'écorcheur fut accueillie par des cris de joie; ceux qui me tenaient garrotté cherchèrent un endroit convenable pour mon supplice, tandis que d'autres aiguisaient leurs couteaux sur les cailloux du rivage...

Soudain le chef de ces écorcheurs s'approcha lentement de moi; il était horrible à voir: un cercle tatoué d'un rouge vif entourait ses yeux et rayait ses joues; on aurait dit des découpures sanglantes sur ce visage noirci. Ses cheveux, relevés à la mode franque autour de son front, et noués au sommet de sa tête, retombaient derrière ses épaules comme la crinière d'un casque, et étaient devenus d'un fauve cuivré, grâce à l'usage de l'eau de chaux dont se servent ces barbares pour donner une couleur ardente à leurs cheveux et à leur barbe. Il portait au cou et au poignet un collier et des bracelets d'étain grossièrement travaillés; il avait pour vêtement une casque de peau de mouton noire;

ses jambes et ses cuisses étaient aussi enveloppées de peaux de mouton, assujetties avec des bandelettes de peau croisées les unes sur les autres. À sa ceinture pendaient une épée et un long couteau. Après m'avoir regardé pendant quelques instants, il leva la main, puis l'abaissa sur mon épaule en disant:

Moi, je prends et garde ce Gaulois pour Elwig!

Les sourds murmures de plusieurs guerriers noirs accueillirent ces paroles de leur chef. Celuici reprit d'une voix plus éclatante encore:

Riowag prend ce Gaulois pour la prêtresse Elwig; il faut à
Elwig un prisonnier pour ses augures.
L'avis du chef parut accepté par la majorité des guerriers noirs, car une foule de voix répétèrent:

Oui, oui, il faut garder ce Gaulois pour Elwig...

Il faut le conduire à Elwig!...

Depuis plusieurs jours elle ne nous a pas fait d'augures...

Et nous, nous ne voulons pas livrer ce prisonnier à Elwig; non, nous ne le voulons pas, nous qui les premiers nous sommes emparés de ce Gaulois, s'écria l'un de ceux qui m'avaient garrotté; nous voulons l'écorcher pour faire hommage de sa peau au grand chef Néroweg...

Peu m'importait le choix: être écorché vif ou être mis à bouillir dans une cuve d'airain; je ne sentais pas le besoin de manifester ma préférence, et je ne pris nulle part au débat. Déjà ceux qui me voulaient écorcher regardaient d'un air farouche ceux qui voulaient me faire bouillir, et portaient la main à leurs couteaux, lorsqu'un guerrier noir, homme de conciliation, dit au chef:

Riowag, tu veux livrer ce Gaulois à la prêtresse Elwig?

Oui, répondit le chef, oui... je le veux.

Et vous autres, poursuivitil, vous voulez offrir la peau de ce
Gaulois au grand chef Néroweg?
Nous le voulons!...

Vous pouvez être tous satisfaits...

Un grand silence se fit à ces mots de conciliation; il continua:

Écorchez-le vif d'abord, et vous aurez sa peau... Elwig fera bouillir ensuite le corps dans sa chaudière.

Ce moyen terme sembla d'abord satisfaire les deux partis; mais
Riowag, le chef des guerriers noirs, reprit:
Ne savez-vous pas qu'il faut à Elwig un prisonnier vivant, pour que ses augures soient certains? Et vous ne lui donnerez qu'un cadavre en écorchant d'abord ce Gaulois...

Puis il ajouta d'une voix éclatante:

Voulez-vous vous exposer au courroux des dieux infernaux en leur dérobant une victime?

À cette menace, un sourd frémissement courut dans la foule; le parti des écorcheurs parut lui-même céder à une terreur superstitieuse.

Le même homme de conciliation qui avait proposé de me faire écorcher et ensuite bouillir, reprit:

Les uns veulent faire offrande de ce Gaulois au grand chef
Néroweg, les autres à la prêtresse Elwig; mais donner à l'une,
c'est donner à l'autre: Elwig n'est-elle pas la soeur de
Néroweg?...
Et il serait le premier à vouer ce Gaulois aux dieux infernaux pour les rendre propices à nos armes, dit Riowag.

Plus, se tournant vers moi, il ajouta d'un ton impérieux:

Enlevez ce Gaulois sur vos épaules, et suivez-moi...

Nous voulons ses dépouilles, dit un de ceux qui s'étaient des premiers emparés de moi, nous voulons son casque, sa cuirasse, ses braies, sa ceinture, sa chemise; nous voulons tout, jusqu'à sa chaussure.

Ce butin vous appartient, répondit Riowag. Vous l'aurez, puisqu'Elwig dépouillera ce Gaulois de tous ses vêtements pour le mettre dans sa chaudière.

Nous allons te suivre, Riowag, reprirentils; d'autres que nous s'empareraient des dépouilles du Gaulois.

Oh! race pillarde! m'écriaije, il est dommage que ma peau ne soit d'aucune valeur, car au lieu de la vouloir donner à votre chef, vous l'iriez vendre si vous pouviez.

Oui, nous te l'arracherions, ta peau, si tu ne devais être mis dans la chaudière d'Elwig.

Mes perplexités cessèrent, je connaissais mon sort, je serais bouilli vif. Je me serais résigné sans mot dire à une mort vaillante ou utile, mais cette mort me semblait si stérile, si absurde, que, voulant tenter un dernier effort, je dis au chef des guerriers noirs:

Tu es injuste... plusieurs fois des guerriers franks sont venus dans le camp gaulois demander des échanges de prisonniers; ces Franks ont toujours été respectés; nous sommes en trêve, et, en temps de trêve, on ne met à mort que les espions qui s'introduisent furtivement dans un camp... Moi, je suis venu ici à la face du soleil, une branche d'arbre à la main, au nom de Victorin, fils de Victoria la grande; j'apporte de leur part un message aux chefs de l'armée franque... Prends garde! Si tu agis sans leur ordre, ils regretteront de ne pas m'avoir entendu, et ils pourront te faire payer cher ta trahison envers ce qui est partout respecté: un soldat sans armes qui vient en temps de trêve, en plein jour, le rameau de paix à la main.

À mes paroles, Riowag répondit par un signe, et quatre guerriers noirs, m'enlevant sur leurs épaules, m'emportèrent, suivant les pas de leur chef, qui se dirigea vers le camp des Franks d'un air solennel.

Au moment où ces barbares me soulevaient sur leurs épaules, j'entendis l'un de ceux qui voulaient m'écorcher vif dire à l'un de ses compagnons, en termes grossiers:

Riowag est l'amant d'Elwig; il veut lui faire présent de ce prisonnier...

Je compris dès lors que Riowag, le chef des guerriers noirs, étant l'amant de la prêtresse Elwig, lui faisait galamment hommage de ma personne, de même que dans notre pays les fiancés offrent une colombe ou un chevreau à la jeune fille qu'ils aiment.

(Une chose t'étonnera peutêtre dans ce récit, mon enfant, c'est que j'y mêle des paroles presque plaisantes, lorsqu'il s'agit de ces événements redoutables pour ma vie... Ne pense pas que ce soit parce qu'à cette heure où j'écris ceci j'aie échappé à tout danger... Non... même au plus fort de ces périls, dont j'ai été délivré comme par prodige, ma liberté d'esprit était entière; la vieille raillerie gauloise, naturelle à notre race, mais longtemps engourdie chez nous par la honte et les douleurs de l'esclavage, m'était, ainsi qu'à d'autres, revenu pour ainsi dire avec notre liberté... Ainsi les réflexions que tu verras parfois se produire au moment où la mort me menaçait étaient sincères, et par suite de ma disposition d'esprit et de ma foi dans cette croyance de nos pères, que l'homme ne meurt jamais... et qu'en quittant ce monde ci va revivre ailleurs...)

Porté sur les épaules des quatre guerriers noirs, je traversai donc une partie du camp des Franks; ce camp immense, mais établi sans aucun ordre, se composait de tentes pour les chefs et de tentes pour les soldats; c'était une sorte de ville sauvage et gigantesque: çà et là, on voyait leurs innombrables chariots de guerre, abrités derrière des retranchements construits en terre et renforcés de troncs d'arbres; selon l'usage de ces barbares, leurs infatigables petits chevaux maigres, au poil rude, hérissé, ayant un licou de corde pour bride, étaient attachés aux roues des chariots ou arbres dont ils rongeaient l'écorce... Les Franks, à peine vêtus de quelques peaux de bêtes, la barbe et les cheveux graissés de suif, offraient un aspect repoussant, stupide et féroce: les uns s'étendaient aux chauds rayons de ce soleil qu'ils venaient chercher du fond de leurs sombres et froides forêts; d'autres trouvaient un passetemps à chercher la vermine sur leur corps velu, car ces barbares croupissaient dans une telle fange, que, bien qu'ils fussent campés en plein air, leur rassemblement exhalait une odeur infecte.

À l'aspect de ces hordes indisciplinées, mal armées, mais innombrables, et se recrutant incessamment de nouvelles peuplades émigrant en masse des pays glacés du Nord pour venir fondre sur notre fertile et riante Gaule comme sur une proie, je songeais, malgré moi, à quelques mots de sinistre prédiction échappés à Victoria; mais bientôt je prenais en grand mépris ces barbares qui, trois ou quatre fois supérieurs en nombre à notre armée, n'avaient jamais pu, depuis plusieurs années, et malgré de sanglantes batailles, envahir notre sol, et s'étaient toujours vus repoussés au delà du Rhin, notre frontière naturelle.

En traversant une partie de ces campements, porté sur les épaules des quatre guerriers noirs, je fus poursuivi d'injures, de menaces et de cris de mort par les Franks qui me voyaient passer; plusieurs fois l'escorte dont j'étais accompagné fut obligée, d'après l'ordre de Riowag, de faire usage de ses armes pour m'empêcher d'être massacré. Nous sommes ainsi arrivés à peu de distance d'un bois épais. Je remarquai, en passant, une hutte plus grande et plus soigneusement construite que les autres, devant laquelle était plantée une bannière jaune et rouge. Un grand nombre de cavaliers vêtus de peaux d'ours, les uns en selle, les autres à pied à côté de leurs chevaux, et appuyés sur leurs longues lances, postés autour de cette habitation, annonçaient qu'un des chefs importants de leurs hordes l'occupait. J'essayai encore de persuader à Riowag, qui marchait à mes côtés, toujours grave et silencieux, de me conduire d'abord auprès de celui des chefs dont j'apercevais la bannière, après quoi l'on pourrait ensuite me tuer;

mes instances ont été vaines, et nous sommes entrés dans un bois touffu, puis arrivés au milieu d'une grande clairière. J'ai vu à quelque distance de moi l'entrée d'une grotte naturelle, formée de gros blocs de roche grise, entre lesquels avaient poussé, çà et là, des sapins et des châtaigniers gigantesques; une source d'eau vive, filtrant parmi les pierres, tombait dans une sorte de bassin naturel. Non loin de cette caverne se trouvait une cuve d'airain étroite, et de la longueur d'un homme; un réseau de chaînes de fer garnissait l'orifice de cette infernale chaudière; elles servaient sans doute à y maintenir la victime que l'on y mettait bouillir vivante. Quatre grosses pierres supportaient cette cuve, audessous de laquelle on avait préparé un amas de broussailles et de gros bois; des os humains blanchis, et dispersés sur le sol, donnaient à ce lieu l'aspect d'un charnier. Enfin, au milieu de la clairière, s'élevait une statue colossale à trois têtes, presque informe, taillée grossièrement à coups de hache dans un tronc d'arbre énorme et d'un aspect repoussant.

Riowag fit signe aux quatre guerriers noirs qui me portaient sur leurs épaules de s'arrêter au pied de la statue, et il entra seul dans la grotte, pendant que les hommes de mon escorte criaient:

Elwig! Elwig!

Elwig! prêtresse des dieux infernaux!

Réjouistoi, Elwig, nous t'apportons de quoi remplir ta chaudière!

Tu nous diras tes augures!

Et tu nous apprendras si la terre des Gaules ne sera pas bientôt la nôtre!

Après une assez longue attente, la prêtresse, suivie de Riowag, apparut au dehors de la caverne.

Je m'attendais à voir quelque hideuse vieille; je me trompais: Elwig était jeune, grande et d'une sorte de beauté sauvage; ses yeux gris, surmontés d'épais sourcils naturellement roux, de même nuance que ses cheveux, étincelaient comme l'acier du long couteau dont elle était armée; son nez en bec d'aigle, son front élevé, lui donnaient une physionomie imposante et farouche. Elle était vêtue d'une longue tunique de couleur sombre; son cou et ses bras nus étaient surchargés de grossiers colliers et de bracelets de cuivre, qui, dans sa marche, bruissaient, choqués les uns contre les autres, et sur lesquels, en s'approchant de moi, elle jeta plusieurs fois un regard de coquetterie sauvage. Sur son épaisse et longue chevelure rousse, éparse autour de ses épaules, elle portait une espèce de chaperon écarlate, ridiculement imité de la charmante coiffure que les femmes gauloises avaient adoptée. Enfin, je crus remarquer (je ne me trompais pas) chez cette étrange créature ce mélange de hauteur et de vanité puérile particulier aux peuples barbares.

Riowag, debout à quelques pas d'elle, semblait la contempler avec admiration; malgré sa couleur noire et les tatouages rouges sous lesquels son visage disparaissait, ses traits me parurent exprimer un violent amour, et ses yeux brillèrent de joie lorsque, par deux fois, Elwig, me désignant du geste, se retourna vers son amant, le sourire aux lèvres, pour le remercier sans doute de sa sanglante offrande. Je remarquai aussi sur les bras nus de cette infernale prêtresse deux tatouages; ils me rappelèrent un souvenir de guerre.

L'un de ces tatouages représentait deux serres d'oiseau de proie; l'autre, un serpent rouge.

Elwig, tournant et retournant son couteau dans sa main, attachait sur moi ses grands yeux gris avec une satisfaction féroce, tandis que les guerriers noirs la contemplaient d'un air de crainte superstitieuse.

Femme, disje à la prêtresse, je suis venu ici sans armes, le rameau de paix à la main, apportant un message aux grands chefs de vos hordes... On m'a saisi et garrotté... Je suis en ton pouvoir... tuemoi, si tu le veux... mais auparavant, fais que je parle à l'un de vos chefs... Cet entretien importe autant aux Franks qu'aux Gaulois, car c'est Victorin et sa mère Victoria la Grande qui m'ont envoyé ici.

Tu es envoyé ici par Victoria? s'écria la prêtresse d'un air singulier, Victoria que l'on dit si belle?

Oui.

Elwig réfléchit, et après un assez long silence, elle leva les bras audessus de sa tête, brandit son couteau en prononçant je ne sais quelles mystérieuses paroles d'un ton à la fois menaçant et inspiré; puis elle fit signe à ceux qui m'avaient amené de s'éloigner.

Tous obéirent et se dirigèrent lentement vers la lisière du bois dont était entourée la clairière.

Riowag resta seul, à quelques pas de la prêtresse. Se tournant alors vers lui, elle désigna d'un geste impérieux le bois où avaient disparu les autres guerriers noirs. Le chef n'obéissant pas à cet ordre, elle éleva la voix et redoubla son geste en disant:

Riowag!

Il insistait encore, tendant vers elle ses mains suppliantes;

Elwig répéta d'une voix presque menaçante:

Riowag! Riowag!

Le chef n'insista plus et disparut aussi dans le bois, sans pouvoir contenir un mouvement de colère.

Je restai seul avec la prêtresse, toujours garrottée, et couché au pied de la statue des divinités infernales. Elwig s'accroupit alors sur ses talons près de moi, et reprit:

Tu es envoyé par Victoria pour parler aux chefs des Franks?

Je te l'ai déjà dit.

Tu es l'un des officiers de Victoria?

Je suis l'un de ses soldats.

Elle t'affectionne?

C'est ma soeur de lait, je suis pour elle un frère.

Ces mots parurent faire de nouveau réfléchir Elwig; elle garda encore le silence, puis continua:

Victoria regrettera ta mort?

Comme on regrette la mort d'un serviteur fidèle.

Elle donnerait beaucoup pour te sauver la vie?

Estce une rançon que tu veux?

Elwig se tut encore, et me dit avec un mélange d'embarras et d'astuce dont je fus frappé:

Que Victoria vienne demander ta vie à mon frère, il la lui accordera; mais, écoute... On dit Victoria trèsbelle, les belles femmes aiment à se parer de ces magnifiques bijoux gaulois si renommés... Victoria doit avoir de superbes parures, puisqu'elle est la mère du chef des chefs de ton pays... Dislui qu'elle se couvre de ses plus riches ornements, cela réjouira les yeux de mon frère... Il en sera plus clément et accordera ta vie à Victoria.

Je crus dès lors deviner le piége que me tendait la prêtresse de l'enfer, avec cette ruse grossière naturelle aux sauvages. Voulant m'en assurer, je lui dis sans répondre à ses dernières paroles:

Ton frère est donc un puissant chef?

Il est plus que chef! me répondit orgueilleusement Elwig; il est ROI!

Nous aussi, autrefois nous avons eu des rois; et ton frère, comment s'appelletil?

Néroweg, surnommé l'Aigle terrible.

Tu as sur les bras deux figures représentant un serpent rouge et deux serres d'oiseau de proie; pourquoi cela?

Les pères de nos pères ont toujours, dans notre famille de rois, porté ces signes des vaillants et des subtils: les serres de l'aigle, c'est la vaillance; le serpent, c'est la subtilité... Mais assez parlé de mon frère, ajouta Elwig avec une sombre impatience, car cet entretien semblait lui peser; veuxtu, oui ou non, engager Victoria à venir ici?

Un mot encore sur ton royal frère... Ne portetil pas au front les deux mêmes signes que tu portes sur les bras?

Oui, repritelle avec une impatience croissante; oui, mon frère porte une serre d'aigle bleue audessus de chaque sourcil, et le serpent rouge en bandeau sur le front, parce que les rois portent un bandeau... Mais assez parlé de Néroweg... assez...

Et je crois voir sur les traits d'Elwig un ressentiment de haine à peine dissimulé en prononçant le nom de son frère; elle continua:

Si tu ne veux pas mourir, écris à Victoria de venir dans notre camp parée de ses plus magnifiques bijoux. Elle se rendra seule dans un lieu que je te dirai... un endroit écarté que je connais... et moimême je la conduirai auprès de mon frère, afin qu'elle obtienne ta grâce...

Victoria venir seule dans ce camp?... J'y suis venu, moi, comptant sur la franchise de la trêve... le rameau de paix à la main, et l'on a tué un de mes compagnons; un autre a été blessé, puis l'on m'a livré à toi garrotté, pour être mis à mort...

Victoria pourra se faire accompagner d'une petite escorte.

Qui serait massacrée par tes gens!... L'embûche est trop grossière.

Tu veux donc mourir! s'écria la prêtresse en grinçant les dents de rage et me menaçant de son couteau; on va rallumer le foyer de la chaudière... Je te ferai plonger vivant dans l'eau magique, et tu y bouilliras jusqu'à la mort... Une dernière fois, choisis... Ou tu vas mourir dans les supplices, ou tu vas écrire à Victoria de se rendre au camp parée de ses plus riches ornements... Choisis!... ajoutatelle dans un redoublement de rage, en me menaçant encore de son couteau; choisis... ou tu vas mourir.

Je savais qu'il n'était pas de race plus pillarde, plus cupide, plus vaniteuse, que cette maudite race franque; je remarquai que les grands yeux gris d'Elwig étincelaient de convoitise chaque fois qu'elle me parlait des magnifiques parures que, selon elle, devait posséder la mère des camps. L'accoutrement ridicule de la prêtresse, la profusion d'ornements sans valeur dont elle se couvrait avec une coquetterie sauvage, pour plaire sans doute à Riowag, le chef des guerriers noirs; et surtout la persistance qu'elle mettait à me demander que Victoria se rendit au camp couverte de riches ornements, tout me donnait à penser qu'Elwig voulait attirer ma soeur de lait dans un piége pour l'égorger et lui voler ses bijoux. Cette embûche grossière ne faisait pas honneur à l'invention de l'infernale prêtresse; mais sa vaniteuse cupidité pouvait me servir; je lui répondis d'un air indifférent:

Femme, tu veux me tuer si je n'engage pas Victoria à venir ici? Tuemoi donc... fais bouillir ma chair et mes os... tu y perdras plus que tu ne sais, puisque tu es la soeur de Néroweg, l'Aigle terrible, un des plus grands rois de vos hordes!...

Que perdraije?

De magnifiques parures gauloises!

Des parures... Quelles parures? s'écria Elwig d'un air de doute, quoique ses yeux brillassent plus que jamais de convoitise. De quelles parures parlestu?

Croistu que Victoria la Grande, en envoyant ici son frère de lait porter un message aux rois des Franks, ne leur ait pas envoyé, en gage de trêve, de riches présents pour leurs femmes et leurs soeurs, qui les ont accompagnés ou qui sont restées en Germanie?...

Elwig bondit sur ses talons, se releva d'un saut, jeta son couteau, frappa dans ses mains, poussa des éclats de rire presque insensés, puis s'accroupit de nouveau près de moi, me disant d'une voix entrecoupée, haletante:

Des présents?... Tu apportes des présents?... Quels sontils?

Où sontils?...

Oui, j'apporte des présents capables d'éblouir une impératrice: colliers d'or ornés d'escarboucles, pendants d'oreilles de perles et de rubis, bracelets, ceintures et couronnes d'or, si chargés de pierreries, qu'ils resplendissent de tous les feux de l'arcen ciel... Ces chefsd'oeuvre de nos plus habiles orfèvres gaulois... je les apportais en présent... et puisque ton frère Néroweg, l'Aigle terrible, est le plus puissant roi de vos hordes, tu aurais eu la plus grosse part de ces richesses...

Elwig m'avait écouté la bouche béante, les mains jointes, sans chercher à cacher l'admiration et l'effrénée cupidité que luis causait l'énumération de ces trésors... Mais soudain ses traits prirent une expression de doute et de courroux... Elle ramassa son couteau, et le levant sur moi, elle s'écria:

Tu mens ou tu railles!... Ces trésors, où sont ils?

En sûreté... Sage a été ma précaution; car j'aurais été tué et dépouillé sans avoir accompli les ordres de Victoria et de son fils.

Où les astu mis en sûreté, ces trésors?

Ils sont restés dans la barque qui m'a amené ici... Mes compagnons ont regagné le large et se sont ancrés dans les eaux du Rhin, hors de portée des flèches de tes gens.

Il y a les barques du radeau à l'autre extrémité du camp, je vais faire poursuivre tes compagnons... j'aurai tes trésors!

Erreur... Mes compagnons, voyant au loin s'avancer vers eux des bateaux ennemis, se défieront, et comme ils ont une longue avance, ils regagneront sans danger l'autre rive du Rhin... Tel sera le fruit de la trahison des tiens envers moi... Allons, femme, fais moi bouillir pour tes augures infernaux!... Mes os, blanchis dans ta chaudière, se changeront peutêtre par ta magie en parures magnifiques!...

Mais ces trésors, reprit Elwig luttant contre ses dernières défiances, ces trésors, puisque tu ne les avais pas apportés avec toi, quand les auraistu donnés aux rois de nos hordes?

En les quittant; je croyais être accueilli et reconduit par eux en envoyé de paix... Alors mes compagnons auraient abordé au rivage pour venir me chercher; j'aurais pris dans la barque les présents pour les distribuer aux rois au nom de Victoria et de son fils.

La prêtresse me regarda encore pendant quelques instants d'un air sombre, paraissant céder tour à tour à la méfiance et à la cupidité. Enfin, vaincue sans doute par ce dernier sentiment, elle se leva et appela d'une voix forte, et par un nom bizarre, une personne jusqu'alors invisible.

Presque aussitôt sortit de la caverne une hideuse vieille à cheveux gris, vêtue d'une robe souillée de sang, car elle aidait sans doute la prêtresse dans ses horribles sacrifices. Elle échangea quelques mots à voix basse avec Elwig, et disparut dans le bois où s'étaient retirés les guerriers noirs.

La prêtresse, s'accroupissant de nouveau près de moi, me dit d'une voix basse et sourde:

Tu veux entretenir mon frère le roi Néroweg, l'Aigle terrible... Je l'envoie chercher... il va venir; mais tu ne lui parleras pas de ces trésors.

Pourquoi?

Il les garderait...

Quoi... lui, ton frère, ne partagerait pas les richesses avec toi, sa soeur?...

Un sourire amer contracta les lèvres d'Elwig; elle reprit:

Mon frère a failli m'abattre le bras d'un coup de hache parce que j'ai voulu toucher à une part de son butin.

Estce ainsi que frères et soeurs se traitent parmi les Franks?

Chez les Franks, répondit Elwig d'un air de plus en plus sinistre, le guerrier a pour premières esclaves sa mère, sa soeur et ses femmes...

Ses femmes?... En ontils donc plusieurs?...

Toutes celles qu'ils peuvent enlever et nourrir... de même qu'ils ont autant de chevaux qu'ils en peuvent nourrir...

Quoi! une sainte et éternelle union n'attache pas, comme chez nous, l'époux à la mère de ses enfants?... Quoi! soeurs, femmes, sont esclaves?... Bénie des dieux est la Gaule! mon pays, où nos mères et nos épouses, vénérées de tous, siègent fièrement dans les conseils de la nation, et font prévaloir leurs avis, souvent plus sages que celui de leurs maris et de leurs fils...

Elwig, palpitante de cupidité, ne répondit pas à mes paroles, et reprit:

De ces trésors tu ne parleras donc pas à Néroweg; il les garderait pour lui... Tu attendras la nuit pour quitter le camp... Je te dirai la route; je t'accompagnerai, tu me donneras tous les présents, à moi seule... à moi seule!...

Et, poussant de nouveau des éclats de rire d'une joie presque insensée, elle ajouta:

Bracelets d'or! colliers de perles! boucles d'oreilles de rubis! diadèmes de pierreries!... Je serai belle comme une impératrice!... oh! je serai trèsbelle aux yeux de Riowag!...

Puis, jetant un regard de mépris sur ses grossiers bracelets de cuivre, qu'elle fit bruire en secouant ses bras, elle répéta:

Je serai trèsbelle aux yeux de Riowag!...

Femme, lui disje, ton avis est prudent; il faudra attendre la nuit pour quitter tous deux le camp et regagner le rivage!...

Puis, voulant mettre davantage Elwig en confiance avec moi en paraissant m'intéresser à sa vaniteuse cupidité, j'ajoutai:

Mais si ton frère te voit parée de ces magnifiques bijoux, il te les prendra... peutêtre?...

Non, me réponditelle d'un air étrange et sinistre, non, il ne me les prendra pas...

Si Néroweg, l'Aigle terrible, est aussi violent que tu le dis, s'il a failli une fois t'abattre le bras pour avoir voulu toucher à sa part du butin, lui disje surpris de sa réponse, et voulant pénétrer le fond de sa pensée, qui empêchera ton frère de s'emparer de ces parures?

Elle me montra son large couteau avec une expression de férocité froide qui me fit tressaillir, et me dit:

Quand j'aurai le trésor... cette nuit, j'entrerai dans la hutte de mon frère... je partagerai son lit, comme d'habitude... et pendant qu'il dormira, moi, voistu, je le tuerai.

Ton frère? m'écriaije en frémissant, et croyant à peine à ce que j'entendais, quoique le récit de l'épouvantable dissolution des moeurs des Franks ne fût pas nouveau pour moi; ton frère?... tu partages son lit?...

La prêtresse ne parut pas surprise de mon étonnement, et me répondit d'un air sombre:

Je partage le lit de mon frère depuis qu'il m'a fait violence... C'est le sort de presque toutes les soeurs des rois franks qui les suivent à la guerre... Ne t'aije pas dit que leurs soeurs, leurs mères et leurs filles étaient les premières esclaves de nos maîtres? Et quelle est l'esclave qui, de gré ou de force, ne partage pas le coucher de son maître?

Taistoi, femme!... m'écriaije en l'interrompant, taistoi! tes monstrueuses paroles attireraient sur nous la foudre des cieux!...

Et, sans pouvoir ajouter un mot, je contemplai cette créature avec horreur... Ce mélange de débauche, de cupidité, de barbarie et de confiance stupide, puisque Elwig s'ouvrait à moi, qu'elle voyait pour la première fois, à moi, un ennemi, sur le fratricide, précédé de l'inceste, subi par cette prêtresse d'un culte sanglant, qui partageait le lit de son frère et se donnait à un autre homme... tout cela m'épouvantait, quoique j'eusse entendu, je le répète, souvent parler des abominables moeurs de ces barbares dissolus et féroces.

Elwig ne semblait pas se douter de la cause de mon silence et du dégoût qu'elle m'inspirait; elle murmurait quelques paroles inintelligibles en comptant les bracelets de cuivre dont ses bras étaient chargés; après quoi elle me dit d'un air pensif:

Auraije bien neuf beaux bracelets de pierreries pour remplacer ceuxci?... Tous tiendrontils dans un petit sac que je cacherai sous ma robe en revenant à la hutte du roi mon frère pour le tuer pendant son sommeil?

Cette férocité froide, et pour ainsi dire naïve, redoubla l'aversion que m'inspirait cette créature. Je gardai le silence.

Alors elle s'écria:

Tu ne me réponds pas au sujet de ces bijoux? Faistu le muet?

Puis, paraissant frappée d'une idée subite, elle ajouta:

Et j'ai parlé!... S'il allait tout dire à Néroweg?... Il me tuerait, moi et Riowag... La pensée de ces trésors m'a rendue folle!

Et elle se mit à appeler de nouveau, en se tournant vers la caverne.

Une seconde vieille, non moins hideuse que la première, accourut tenant en main un os de boeuf où pendait un lambeau de chair à demi cuite qu'elle rongeait.

Accours ici, lui dit la prêtresse, et laisse là ton os.

La vieille obéit à regret et en grondant, ainsi qu'un chien à qui l'on ôte sa proie, déposa l'os sur l'une des pierres saillantes de l'entrée de la grotte, et s'approcha en s'essuyant les lèvres.

Fais du feu sous la cuve d'airain, dit la prêtresse à la vieille.

Celleci retourna dans la caverne, en rapporta d'une main quelques brandons enflammés. Bientôt un ardent brasier brûla sous la chaudière.

Maintenant, dit Elwig à la vieille en me montrant, étendu que j'étais toujours à terre, aux pieds de la divinité infernale, les mains liées derrière le dos et les jambes attachées, agenouille toi sur lui.

Je ne pouvais faire un mouvement; la hideuse vieille se mit à genoux sur la cuirasse dont ma poitrine était couverte, et dit à la prêtresse:

Que fautil faire?

Tienslui la langue... je la lui couperai.

Je compris alors qu'Elwig, d'abord entraînée à de dangereuse confidences par sa sauvage convoitise, se reprochant d'avoir inconsidérément parlé de ses horribles amours et de ses projets fratricides, ne trouvait pas de meilleur moyen de me forcer au silence envers son frère qu'en me coupant la langue. Je crus ce projet facile à concevoir, mais difficile à exécuter, car je serrai les dents de toutes mes forces.

Serre lui le cou, dit Elwig à la vieille: il ouvrira la bouche, tirera la langue, et je la couperai.

La vieille, toujours agenouillée sur ma cuirasse, se pencha si près de moi, que son hideux visage touchait presque le mien. De dégoût je fermai les yeux; bientôt je sentis les doigts crochus et nerveux de la suivante de la prêtresse me serrer la gorge. Pendant quelques instants, je luttai contre la suffocation et ne desserrai pas les dents; mais enfin, selon qu'Elwig l'avait prévu, je me sentis prêt à étouffer et j'ouvris malgré moi la bouche. Elwig y plongea aussitôt ses doigts pour saisir ma langue. Je les mordis si cruellement, qu'elle les retira en poussant un cri de douleur. À ce cri, je vis sortir du bois, où ils s'étaient retirés par ordre de la prêtresse, les guerriers noirs et Riowag. Celuici accourait; mais il s'arrêta indécis à la vue d'une troupe de Franks arrivant du côté opposé et entrant dans la clairière; l'un de ces derniers venus criait d'une voix rauque et impérieuse:

Elwig!

Le roi mon frère! murmura la prêtresse, toujours agenouillée près de moi.

Et elle me parut chercher son couteau, tombé à terre pendant notre lutte d'un moment.

Ne crains rien... je serai muet... Tu auras le trésor pour toi seule, disje tout bas à Elwig, de crainte que dans sa terreur elle ne me tuât.

J'espérais, à tout hasard, m'assurer son appui et me ménager les moyens de fuir en flattant sa cupidité.

Soit qu'Elwig crût à ma parole, soit que la présence de son frère l'empêchât de m'égorger, elle me jeta un regard significatif, et resta agenouillée à mes côtés, la tête penchée sur sa poitrine d'un air méditatif. La vieille, s'étant relevée, ne pesait plus sur ma cuirasse; je pus respirer librement, et je vis l'Aigle terrible debout, à deux pas de moi, escorté de quelques autres ROIS franks, comme s'appellent ces chefs de pillards.

Néroweg était d'une taille colossale; sa barbe, grâce à l'usage de l'eau de chaux, était devenue d'un rouge de cuivre, ainsi que ses cheveux graissés et relevés autour de son front; nouée par une tresse de cuir, au sommet de sa tête, cette chevelure retombait derrière ses épaules, comme la crinière d'un casque; audessus de chacun de ses épais sourcils roux, je vis une serre d'aigle tatouée en bleu, tandis qu'un autre tatouage écarlate, représentant les ondulations d'un serpent, ceignait son front; sa joue gauche était aussi recouverte d'un tatouage rouge et bleu, composé de raies transversales; mais sur la joue droite, ce sauvage ornement disparaissait presque entièrement dans la profondeur d'une cicatrice commençant audessous de l'oeil et allant se perdre dans sa barbe hérissée. De lourdes plaques d'or grossièrement travaillées, attachées à ses oreilles, les distendaient et tombaient sur ses épaules; un gros collier d'argent faisait deux ou trois fois le tour de son cou et tombait jusque sur sa poitrine deminue. Il avait pour vêtement, par dessus sa tunique de toile, presque noire tant elle était malpropre, un casque de peau de bête. Ses chausses, de même étoffe et de même saleté que sa tunique, la rejoignaient et y étaient assujetties par un large ceinturon de cuir où pendaient, d'un côté, une longue épée, de l'autre une hache de pierre tranchante; de larges bandes de peau tannée (de peau humaine peutêtre) se croisaient sur ses chausses, depuis le coudepied jusqu'audessus du genou; il s'appuyait sur une demipique armée d'un fer aigu. Les autres rois qui accompagnaient Néroweg étaient à peu près tatoués, vêtus et armés comme lui; tous avaient les traits empreints d'une gravité farouche.

Elwig, toujours agenouillée silencieusement près de moi, avait jusqu'alors caché ma figure à Néroweg. Il toucha brutalement, du bout du manche de sa pique, les épaules de sa soeur, et lui dit durement:

Pourquoi m'astu envoyé quérir avant de faire bouillir pour tes augures ce chien gaulois... dont mes écorcheurs voulaient me donner la peau?

L'heure n'est pas propice, reprit la prêtresse d'un ton mystérieux et saccadé; l'heure de la nuit... de la nuit noire, vaut mieux pour sacrifier aux dieux infernaux... Ce Gaulois dit avoir été chargé d'un message pour toi, ô puissant roi! par Victoria et par son fils.

Néroweg s'approcha davantage et me regarda d'abord avec une dédaigneuse indifférence; puis, m'examinant plus attentivement, et se baissant pour mieux m'envisager, ses traits prirent soudain une expression de haine et de rage triomphante, et il s'écria, comme s'il ne pouvait en croire ses yeux:

C'est luit!... c'est le cavalier au cheval gris... c'est lui!...

Tu le connais, demanda Elwig à son frère. Tu connais ce prisonnier?...

Vaten! reprit brusquement Néroweg. Hors d'ici! Puis, me contemplant de nouveau, il répéta: C'est lui... le cavalier au cheval gris!...

L'astu donc rencontré à la bataille? demanda de nouveau Elwig à son frère. Réponds...

T'en irastu! reprit Néroweg en levant son bâton sur la prêtresse. J'ai parlé! vaten!...

J'avais les yeux, à ce moment, fixés sur le groupe des guerriers noirs; je vis Riowag, le roi des guerriers noirs, à peine contenu par ses compagnons, porter la main à son épée, pour venger sans doute l'insulte faite à Elwig par Néroweg.

Mais la prêtresse, loin d'obéir à son frère, et craignant sans doute qu'en son absence je ne parlasse à l'Aigle terrible des projets fratricides de sa soeur incestueuse, et des riches présent de Victoria, s'écria:

Non... non... je reste ici... Ce prisonnier m'appartient pour mes augures... Je ne m'éloigne pas de lui... je le garde...

Néroweg, pour toute réponse, asséna plusieurs coups du manche de sa pique sur le dos d'Elwig; puis il fit un signe, et plusieurs hommes de ceux dont il était accompagné repoussèrent violemment la prêtresse, ainsi que les deux vieilles, dans la caverne, dont ils gardèrent l'issue l'épée à la main.

Il fallut que les guerriers noirs qui entouraient leur roi Riowag fissent de grands efforts pour l'empêcher de se précipiter, l'épée à la main, sur l'Aigle terrible; mais, celuici, ne songeant qu'à moi, ne s'aperçut pas de la fureur de son rival, et me dit d'une voix tremblante de colère, en me crossant du pied:

Me reconnaistu, chien?

Je te reconnais...

Cette blessure, reprit Néroweg en portant son doigt à la profonde cicatrice dont sa joue était sillonnée, cette blessure, la reconnaistu?

Oui, c'est mon oeuvre... Je t'ai combattu en soldat...

Tu mens!... tu m'as combattu en lâche... deux contre un...

Tu attaquais avec furie le fils de Victoria la Grande; il était déjà blessé... sa main pouvait à peine soutenir son épée... je suis venu à son aide...

Et tu m'as marqué à la face de ton sabre gaulois... chien...

En disant cela, Néroweg m'asséna plusieurs coups du manche de sa pique, à la grande risée des autres rois.

Je me rappelai mon aïeul Guilhern, enchaîné comme esclave, et supportant avec dignité les lâches et cruels traitements des Romains, après la bataille de Vannes... Je l'imitai, je dis simplement à Néroweg:

Tu frappes un soldat désarmé, garrotté, qui, confiant dans la trêve, est venu pacifiquement vers toi... c'est une grande lâcheté!... Tu n'oserais pas lever ton bâton sur moi, si j'étais debout, une épée à la main...

Le chef Frank, se mettant à rire d'un rire cruel et grossier, me répondit:

Fou est celui qui, pouvant tuer son ennemi désarmé, ne le tue pas... Je voudrais pouvoir te tuer deux fois... Tu es doublement mon ennemi... Je te hais parce que tu es Gaulois; je te hais parce que ta race possède la Gaule, le pays du soleil, du bon vin et des belles femmes... je te hais parce que tu m'as marqué à la face, et que cette blessure fait ma honte éternelle... Je veux donc te faire tant souffrir, que tes souffrances vaillent deux morts, mille morts, si je peux... chien gaulois!...

Le chien gaulois est un noble animal de chasse et de guerre, lui disje; le loup frank est un animal de rapine et de carnage, mais avant peu les braves chiens gaulois auront chassé de leurs frontières cette bande de loups voraces, sortis des forêts du Nord... Prends garde!... Si tu refuses d'écouter le message de Victoria la Grande et de son vaillant fils... prends garde!... Entre le loup frank et le chien gaulois, ce sera une guerre à mort, une guerre d'extermination.

Néroweg, grinçant les dents de rage, saisit à son côté sa hache, et la tenant des deux mains, la leva sur moi pour me briser la tête... Je me crus à mon heure dernière; mais deux des autres rois arrêtèrent le bras du frère d'Elwig, et ils lui dirent quelques mots à voix basse, qui parurent le calmer. Il ce concerta ensuite avec ses compagnons, et me dit:

Quel est le message dont tu es chargé par Victoria pour les rois des Franks?

Le messager de Victorin et de Victoria la Grande doit parler debout, sans liens, le front haut... et non étendu à terre et garrotté comme le boeuf qui attend le couteau du boucher... Fais moi délivrer de mes liens, et je parlerai... sinon, non!...

Parle à l'instant... sans condition, chien gaulois!...

Non!

Je saurai te faire parler!

Essaye!

Néroweg dit quelques mots à l'un des autres rois. Celuici alla prendre sous la cuve d'airain deux tisons enflammés; l'on me saisit par les épaules et par les pieds, afin de m'empêcher de faire un mouvement, tandis que le Frank, plaçant et maintenant les tisons sur le fer de ma cuirasse, y établissait ainsi une sorte de brasier, aux éclats de rire de Néroweg, qui me dit:

Tu parleras! ou tu sera grillé comme la tortue dans son écaille.

Le fer de ma cuirasse commençait à s'échauffer sous ce brasier, que deux rois franks attisaient de leur souffle. Je souffrais beaucoup et je m'écriai:

Ah! Néroweg... Néroweg!... lâche bourreau! j'endurerais ces tortures avec joie pour me trouver une fois encore face à face avec toi, une bonne épée à la main, et te marquer à l'autre joue!... Oh! tu l'as dit... entre nos deux races... haine à mort!...

Quel est le message de Victoria? reprit l'Aigle terrible.
Réponds...
Je restai muet, quoique la douleur devint pour moi fort grande... le fer de ma cuirasse s'échauffant de plus en plus, et dans toutes ses parties.

Parlerastu? s'écria de nouveau le chef frank, qui parut étonné de ma constance.

Je te l'ai dit: le messager de Victoria parle debout et libre! aije répondu, sinon, non!...

Soit que le roi frank crût de son intérêt de connaître le message que j'apportais, soit qu'il se rendit aux observations de ses compagnons, moins féroces que lui, l'un d'eux déboucla la mentonnière de mon casque, me l'ôta de dessus la tête et alla remplir d'eau à la fontaine qui sourdait entre les roches de la caverne, et versa cette eau fraîche sur ma cuirasse brûlante, elle se refroidit ainsi peu à peu.

Délivrezle de ses liens, dit Néroweg, mais entourezle... et qu'il tombe percé de coups s'il veut tenter de fuir...

Je repris mes forces pendant que l'on ôtait mes liens, car la douleur m'avait fait presque défaillir. Je bus un peu d'eau restant au fond de mon casque; puis je me levai au milieu des rois franks qui m'entouraient afin de me couper toute retraite.

Néroweg me dit:

Quel est ton message?

Une trêve a été convenue entre nos deux armées... Victoria et son fils m'envoient vous dire ceci: Depuis que vous avez quitté vos forêts du Nord, vous possédez tous le pays d'Allemagne qui s'étend sur la rive gauche du Rhin... Ce sol est aussi fertile que celui de la Gaule. Avant votre invasion, il produisait tout avec abondance; vos violences, vos cruautés ont fait fuir presque tous ses habitants; mais le sol reste un sol fertile... Pourquoi ne le cultivezvous pas, au lieu de nous guerroyer sans cesse et de vivre de rapines? Estce l'amour de batailler qui vous pousse? Nous comprenons mieux que personne, nous autres Gaulois, cette outrevaillance, et nous y voulons bien satisfaire; envoyez à chaque lune nouvelle, mille, deux mille guerriers d'élite, dans une des grandes îles du Rhin, notre frontière commune; nous enverrons pareil nombre de guerriers; on se battra rudement, et selon le bon plaisir de chacun, mais du moins, vous, Franks, d'un côté du Rhin, nous Gaulois, de l'autre, nous pourrons en paix cultiver nos champs, travailler, fabriquer, enrichir nos pays, sans être obligés, chose mauvaise, d'avoir toujours un oeil sur la frontière et une épée pendue au manche de la charrue. Si vous refusez ceci, nous vous ferons une guerre d'extermination pour vous chasser de nos frontières et vous refouler dans vos forêts. Lorsqu'on est si voisins, et seulement séparés par un fleuve, il faut être amis, ou que l'un des deux peuples détruise l'autre... Choisissez!... J'ai dit, au nom de Victoria la Grande et de son fils Victorin, j'ai dit!

Néroweg se consulta avec plusieurs des rois dont il était entouré, et me répondit insolemment:

Le Frank n'est pas de race vile, comme la race gauloise, qui cultive la terre et travaille: le Frank aime la bataille; mais il aime surtout le soleil, le bon vin, les belles armes, les belles étoffes, les coupes d'or et d'argent, les riches colliers, les grandes villes bien bâties, les palais superbes à la mode romaine, les jolies femmes gauloises, les esclaves laborieux et soumis au fouet, qui travaillent pour leurs maîtres, tandis que ceuxci boivent, chantent, dorment, font l'amour ou la guerre... Dans leur pays du Nord, les Franks ne trouvent ni bon soleil, ni bon vin, ni belles femmes, ni belles étoffes, ni coupes d'or et d'argent, ni grandes villes bien bâties, ni palais superbes, ni jolies femmes gauloises... Tout cela se trouve chez vous, chiens gaulois... Nous voulons vous le prendre... oui, nous voulons nous établir dans votre pays fertile... jouir de tout ce qu'il renferme, tandis que vous travaillerez pour nous, courbés sous notre forte épée, et que vos femmes, vos filles, vos soeurs coucheront dans notre lit, fileront la toile de nos chemises et les laveront au lavoir... Entendstu cela, chien gaulois?

Les autres chefs approuvèrent les paroles de Néroweg par leurs rires et leurs clameurs, et tous répétèrent:

Oui... voilà ce que nous voulons... Entendstu cela, chien gaulois?

J'entends..., aije répondu ne pouvant m'empêcher de railler cette sauvage insolence. J'entends... vous voulez nous conquérir et nous asservir comme l'ont fait pendant un temps les Romains, après que notre race a eu dominé, vaincu l'univers durant des siècles... Mais, honnêtes barbares, qui aimez tant le soleil, le bien, le pays et les femmes d'autrui, vous oubliez que les Romains, malgré leur puissance universelle et leurs innombrables armées, ont été forcés par nos armes de nous rendre une à une toutes nos libertés, de sorte qu'à cette heure les Romains ne sont plus nos conquérants, mais nos alliés... Or, mes honnêtes barbares, qui aimez tant le soleil, le pays, le bien et les femmes d'autrui, écoutez ceci: Nous autres Gaulois, seuls et sans l'alliance romaine, nous vous chasserons de nos frontières, ou nous vous exterminerons jusqu'au dernier, si vous persistez à être de mauvais voisins, et à prétendre nous larronner notre vieille Gaule!...

Oui, larrons nous sommes! s'écria Néroweg, et, par les neiges de la Germanie, nous larronnerons la Gaule!... Notre armée est quatre fois plus nombreuse que la vôtre; vous avez à défendre vos palais, vos villes, vos richesses, vos femmes, votre soleil, votre terre fertile... Nous n'avons, nous, rien à défendre et tout à prendre: nous campons sous nos huttes et nous dormons sur l'épaule de nos chevaux; notre seule richesse est notre épée; nous n'avons rien à perdre, tout à gagner... Nous gagnerons tout, et nous asservirons ta race, chien gaulois!...

Va demander aux Romains, dont l'armée était plus nombreuse que la tienne, combien la vieille terre des Gaules a dévoré de cohortes étrangères! Les plus grandes batailles qu'ils aient livrées, ces conquérants du monde, ne leur ont pas coûté le quart de soldats que nos pères, esclaves insurgés, ont exterminés à coups de faux et de fourche... Prends garde! prends garde quand il défend son sol, son foyer, sa famille, sa liberté, bien forte est l'épée du soldat gaulois... bien tranchante est la faux, bien lourde est la fourche du paysan gaulois! Prenez garde! prenez garde! si vous restez mauvais voisins, la faux et la fourche gauloises suffiront pour vous chasser dans vos neiges, gens de paresse, de rapine et de carnage, qui voulez jouir du travail, du sol, de la femme et du soleil d'autrui, de par le vol et le massacre!

Et c'est toi, chien gaulois, qui oses parler ainsi? s'écria Néroweg en grinçant les dents, toi, prisonnier! toi, sous la pointe de nos épées!...

Le moment me paraît bon, à moi, pour dire ceci.

Et le moment me paraît bon, à moi, pour te faire souffrir mille morts! s'écria le chef frank, non moins furieux que ses compagnons. Oui, tu vas souffrir mille morts... Après quoi, ma seule réponse à l'audacieux messager de ta Victoria sera de lui envoyer ta tête, et de lui faire dire de ma part, à moi Néroweg, l'Aigle terrible, puisqu'elle est belle encore, ta Victoria la Grande, qu'avant que le soleil se soit levé six fois, j'irai la prendre au milieu de son camp, qu'elle partagera mon lit, et qu'après je la livrerai à mes hommes pour qu'ils s'amusent à leur tour de Victoria, la grande et fière Gauloise.

À cette féroce insolence, dite sur la femme que je vénérais le plus au monde, j'ai perdu, malgré moi, mon sangfroid; j'étais désarmé, mais j'ai ramassé à mes pieds l'un des tisons alors éteints, dont les Franks s'étaient servis pour me torturer. J'ai saisi cette lourde bûche, et j'en ai si rudement frappé Néroweg à la tête, qu'étourdi du coup et faisant deux pas en arrière, il a trébuché et est tombé sans mouvement, sans connaissance.

Aussitôt dix coups d'épée me frappèrent à la fois; mais mon casque et ma cuirasse me préservèrent; car, dans leur aveugle rage, les chefs franks me portèrent au hasard les premières atteintes en criant:

À mort!

Riowag, le chef des guerriers noirs, Riowag seul ne chercha pas à venger sur moi le coup que j'avais porté à son rival Néroweg; il profita du tumulte pour entrer dans la caverne où l'on avait repoussé Elwig; car les deux chefs, qui, l'épée à la main, gardaient l'issue de cette grotte, étaient accourus au secours de l'Aigle terrible, renversé à quelques pas de là.

Peu d'instants après que Riowag fut entré dans la grotte, la prêtresse et les deux vieilles se précipitèrent hors de leur repaire, les cheveux en désordre, l'air hagard, les mains levées au ciel en s'écriant:

L'heure est venue... le soleil baisse... la nuit approche... À mort à mort, le Gaulois!... Il a frappé l'Aigle terrible... À mort! à mort, le Gaulois!... Garrottezle!... Nous allons lire les augures dans l'eau magique où il va bouillir.

Oui... à mort! crièrent les Franks en se précipitant sur moi, et me chargeant de nouveaux liens. Qu'il périsse dans un long supplice.

Les prêtresses du supplice, c'est nous! s'écrièrent à la fois Elwig et les deux vieilles en redoublant de contorsions bizarres qui semblaient peu à peu frapper les chefs franks d'une terreur superstitieuse.

Ô toi, qui as frappé mon frère, le sang de mon sang! s'écriait Elwig en se tordant les bras, poussant des hurlements affreux, et se jetant sur moi avec une furie feinte ou réelle, je ne savais encore, les dieux infernaux t'ont livré à moi!... Venez, venez... entraînonsle dans la caverne, ajoutatelle en s'adressant aux deux vieilles; il faut le préparer à la mort par les tortures...

Le trouble jeté au milieu des Franks par le coup que j'avais porté à Néroweg les empêcha d'abord de s'opposer au dessein d'Elwig et des deux vieilles; plusieurs chefs même se joignirent à elles pour me pousser dans la caverne, tandis que d'autres s'empressaient autour de l'Aigle terrible, étendu à terre, pâle, inanimé, le front sanglant.

Notre grand chef n'est pas mort, disaient les uns; ses mains sont chaudes et son coeur bat.

Il faut le transporter dans sa hutte.

S'il meurt, nous tirerons au sort ses cinq chevaux noirs et sa belle épée gauloise à poignée d'or.

Les chevaux et les armes de Néroweg appartiennent au plus ancien chef après lui! s'écria l'un de ceux qui soutenaient l'Aigle terrible. Et ce chef, c'est moi... À moi donc les chevaux et les armes!

Tu mens!... dit celui qui soutenait Néroweg de l'autre côté. Ses chevaux et ses armes m'appartiennent; je suis son plus ancien compagnon de guerre; il m'a dit: «Si je meurs, mes armes et mes chevaux seront à toi.»

Non! crièrent les autres chefs, non! tout ce qui vient de
Néroweg doit être tiré au sort entre nous.
Du seuil de la caverne, où j'entrais alors, je vis la dispute s'animer; les épées brillèrent et se croisèrent au milieu d'un bruyant tumulte, pendant que Néroweg, toujours inanimé, était abandonné et foulé aux pieds pendant cette lutte; elle allait devenir sanglante, lorsque Elwig, me laissant aux abords de son repaire, s'élança parmi les combattants, qu'elle s'efforça de séparer, en criant d'une voix éclatante:

Honte et malheur aux lâches qui se disputent les dépouilles du frère devant sa soeur! ... Honte et malheur aux impies qui troublent le repos des lieux consacrés aux dieux infernaux!

Puis, l'air inspiré, terrible, elle se dressa de toute sa hauteur, leva ses mains fermées audessus de sa tête en s'écriant:

J'ai les deux mains remplies de malheurs redoutables... Fautil que je les ouvre sur vous? Tremblez! tremblez!

À cette menace, les barbares effrayés courbèrent involontairement la tête, comme s'ils eussent craint d'être atteints par ces mystérieux malheurs, qui allaient s'échapper des mains de la prêtresse. Ils remirent leurs épées dans le fourreau: un grand silence se fit.

Emportez l'Aigle terrible dans sa hutte, dit alors Elwig, la soeur va accompagner son frère blessé... le prisonnier gaulois sera gardé dans cette caverne par Map et Mob, qui m'aident aux sacrifices... Deux d'entre vous resteront à l'entrée de la caverne, l'épée à la main... La nuit approche... Quand elle sera venue, Elwig reviendra ici avec Nèroweg... Le supplice du prisonnier commencera, et je lirai les augures dans les eaux magiques où il doit bouillir jusqu'à la mort!...

Mon dernier espoir m'abandonna: Elwig, devant revenir avec son frère, renonçait sans doute au dessein que lui avait inspiré sa cupidité, dessein où je voyais mon salut... J'étais solidement garrotté, les mains fixées derrière le dos; un ceinturon enlaçant mes jambes à peine de marcher à très petits pas. Je suivis les deux vieilles dans la grotte, dont l'entrée fut gardée par plusieurs chefs armés. Plus j'avançais dans l'intérieur de ce souterrain, plus il devenait obscur. Après avoir ainsi assez longtemps marché sous la conduite des deux vieilles, l'une d'elles me dit:

Couche toi à terre si tu veux; le soleil a disparu; je vais, avec ma compagne, en attendant le retour d'Elwig, entretenir le feu sous la chaudière... tu n'attendras pas beaucoup.

Les vieilles me quittèrent... je restai seul.

Je voyais au loin l'entrée de la caverne devenir de plus en plus sombre, à mesure que le crépuscule faisait place à la nuit. Bientôt, de ce côté, les ténèbres furent complètes; seulement, de temps à autre, le feu avivé par les vieilles sous la cuve d'airain jetait dans la nuit noire des clartés rougeâtres, qui venaient mourir au seuil de la grotte.

J'essayai de rompre mes liens; une fois les jambes et les mains libres, j'aurais tenté de désarmer l'un des Franks, gardiens de l'antre, et l'épée à la main, protégé par l'obscurité, je me serais dirigé vers les bords du Rhin, guidé par le bruit des grandes eaux du fleuve. Peut être Douarnek, malgré mes ordres, ne se serait il pas encore éloigné de la rive pour regagner notre camp; mais, malgré mes efforts, je ne pus rompre les cordes d'arc et les ceinturons dont j'étais garrotté. Déjà une sourde et croissante rumeur m'annonçait qu'un grand nombre d'hommes arrivaient et se rassemblaient aux abords de la caverne, sans doute afin d'assister à mon supplice et d'entendre les augures de la prêtresse.

Je crus n'avoir plus qu'à me résigner à mon sort; je donnai une dernière pensée à ma femme et à mon enfant, à Victorin et à Victoria.

Soudain, au milieu des ténèbres dont j'étais entouré, j'entendis, à deux pas derrière moi, la voix d'Elwig. Je tressaillis de surprise; j'étais certain qu'elle n'était point venue par l'entrée de la caverne.

Suis moi, me dit elle.

Et en même temps sa main brûlante saisit la mienne.

Comment es tu ici? lui dis je stupéfait, en renaissant à l'espérance et m'efforçant de marcher.

La caverne a deux issues, répondit Elwig: l'une d'elles est secrète et connue de moi seule... c'est par là que je viens d'arriver jusqu'à toi, tandis que les rois m'attendent autour de la chaudière... Viens! viens!... conduismoi à la barque où est le trésor!

J'ai les jambes liées, lui disje, je peux à peine mettre un pied devant l'autre.

Elwig ne répondit rien; mais je sentis qu'à l'aide de son couteau elle tranchait le cuir des ceinturons et les cordes d'arc qui me garrottaient aux coudes et aux jambes... J'étais libre!...

Et ton frère, lui disje en marchant sur ses pas, estil revenu à lui?

Néroweg est encore à demi étourdi, comme le boeuf mal atteint par l'assommoir... Il attend dans sa hutte le moment de ton supplice. Je dois aller lui annoncer l'heure des augures; il veut te voir longtemps souffrir... Viens, viens!...

L'obscurité est si grande que je ne vois pas devant moi.

Donnemoi ta main.

Si ton frère, lassé d'attendre, lui disje en me laissant conduire, entre avec les chefs dans cette caverne par l'autre issue, et qu'ils ne trouvent ici ni toi ni moi, ne se mettrontils pas à notre poursuite?

Moi seule connais cette issue secrète: mon frère et les chefs croiront, en ne nous trouvant plus ici, que je t'ai fait descendre chez les dieux infernaux... Ils me craindront davantage... Viens, viens! ...

Pendant qu'Elwig me parlait ainsi, je la suivais à travers un chemin si étroit, que je sentais de chaque côté les parois des roches... Puis ce sentier sembla s'enfoncer dans les entrailles de la terre; ensuite il devint, au contraire, si rude à gravir pour mes jambes encore engourdies par la violente pression de mes liens, que j'avais peine à suivre les pas précipités de la prêtresse. Bientôt un courant d'air frais me frappa au visage: je supposai que nous allons bientôt sortir de ce souterrain.

Cette nuit, lorsque j'aurai eu tué mon frère, pour me venger de ses outrages et de ses violences, me dit Elwig d'une voix brève, haletante, je fuirai avec un roi que j'aime... Il nous attend au dehors de cette caverne. Ce chef est robuste, vaillant, bien armé; il nous accompagnera jusqu'à ton bateau... Si tu m'as trompée, Riowag te tuera... entendstu, Gaulois?...

Cette menace m'effraya peu... j'avais les mains et les jambes libres... Ma seule inquiétude était de ne plus retrouver Douarnek et la barque.

Au bout de quelques instants nous étions sortis de la grotte... Les étoiles brillaient si vivement au ciel, qu'une fois hors du bois où nous nous trouvions encore, l'on devait voir à quelques pas devant soi.

La prêtresse s'arrêta un moment et appela:

Riowag!...

Riowag est là... répondit une voix si proche, que le roi des guerriers noirs, qui venait de répondre à l'appel de la prêtresse, était sans doute tout près de moi, à me toucher.

Pourtant ce fut en vain que j'essayai de distinguer sa forme noire au milieu de la nuit. Je compris plus que jamais combien ces guerriers, se confondant avec l'ombre, devaient être redoutables pour les embuscades nocturnes.

Y atil loin d'ici les bords du Rhin? demandaije à Riowag. Tu dois connaître l'endroit où j'ai débarqué, puisque tu étais le chef de ceux qui nous ont envoyé une grêle de flèches.

Nous n'avons pas longtemps à marcher pour regagner l'endroit où tu as pris terre me répondit Riowag.

Nous faudratil traverser le camp? lui disje, en voyant à peu de distance la lueur des feux allumés par les Franks.

Mes deux conducteurs ne me répondirent pas, échangèrent à voix basse quelques paroles, me prirent chacun par un bras, et nous suivîmes un chemin qui s'éloignait du camp. Bientôt le bruit des grandes eaux du Rhin arriva jusqu'à moi. Nous approchions de plus en plus du rivage; enfin j'aperçus, du haut de l'escarpement où je me trouvais, une sorte de nappe blanchâtre à travers l'obscurité de la nuit... c'était le fleuve!

Nous allons remonter maintenant deux cents pas sur la grève, me dit Riowag; nous atteindrons ainsi l'endroit où tu as débarqué sous nos flèches... Ton bateau doit t'attendre à peu de distance de là... Si tu nous as trompés, ton sang rougira la grève et les eaux du Rhin entraîneront ton cadavre...

Peuton crier du rivage vers le large, demandaije au Frank, sans être entendu des avantpostes de ton camp?

Le vent souffle de la rive vers le Rhin, me dit Riowag avec sa sagacité de sauvage, tu peux crier; l'on ne t'entendra pas du camp et l'on t'entendra jusque vers le milieu du fleuve.

Après avoir encore marché pendant quelque temps, Riowag s'arrêta et me dit:

C'est ici que tu as débarqué... ton bateau devrait être ancré non loin d'ici... Moi, guerrier de nuit, j'ai l'habitude de voir à travers les ténèbres, et ce bateau, je ne le vois pas.

Oh! tu nous as trompés! tu nous as trompés! murmura Elwig d'une voix sourde, tu mourras...

Peutêtre, leur disje, la barque, après m'avoir vainement attendu, n'a quitté son ancrage que depuis peu de temps... Le vent porte au loin la voix, je vais appeler.

Et je poussai notre cri de ralliement de guerre, bien connu de
Douarnek.
Le bruit du vent et des grandes eaux me répondit seul.

Douarnek avait sans doute suivi mes ordres et regagné notre camp au coucher du soleil.

Je poussai une seconde fois notre cri de guerre.

Le bruit du vent et des grandes eaux me répondit encore.

Voulant gagner du temps et me mettre en défense, je dis à Elwig:

Le vent souffle de la rive; il porte ma voix au large; mais il repousse les voix qui ont peutêtre répondu à mon signal... Attendons...

En parlant ainsi, je tâchais de voir à travers les ténèbres de quelle manière Riowag était armé. Il portait à sa ceinture un poignard, et tenait sa courte et large épée, qu'il venait de tirer du fourreau; Elwig avait son couteau à la main... Quoiqu'ils fussent côte à côte et près de moi, je pouvais d'un bond leur échapper... j'attendis encore. Soudain j'entendis nu loin le bruit cadencé des rames... Mon appel était parvenu aux oreilles de Douarnek.

À mesure que l'heure décisive approchait, l'angoisse d'Elwig et de son compagnon devait augmenter... Me tuer, c'était pour eux renoncer aux trésors que mes soldats, leur avaisje dit, n'apporteraient qu'à ma voix; permettre à ceuxci de débarquer, c'était laisser venir à moi des auxiliaires qui mettaient la force de mon côté. Elwig s'aperçut alors sans doute que sa cupidité sauvage l'avait menée trop loin, car voyant la barque s'approcher de plus en plus, elle me dit d'une voix altérée:

On vante la parole gauloise... Tu me dois la vie... M'auraistu trompée par une fausse promesse?

Cette prêtresse de l'enfer, incestueuse, féroce, qui avait eu la pensée de me couper la langue pour s'assurer de mon silence, et qui pensait froidement à ajouter le fratricide à ses autres crimes, ne m'avait sauvé la vie que par un sentiment de basse cupidité. Cependant je ne pus rester insensible à son appel à la loyauté gauloise; je regrettai presque mon mensonge, quoiqu'il pût être excusé par la trahison des Franks; mais, en ce moment, je dus songer à mon salut... Je sautai sur Riowag, et je parvins à le désarmer après une lutte violente dans laquelle Elwig n'osa pas intervenir, de peur de blesser son amant en voulant me frapper... Me mettant alors en défense, l'épée à la main, je m'écriai:

Non, je n'ai pas de trésors à te livrer, Elwig; mais si tu crains de retourner chez ton frère, suismoi. Victoria te traitera avec bonté; tu ne seras pas prisonnière... je t'en donne ma parole... fietoi à la foi gauloise...

La prêtresse et Riowag, sans vouloir m'entendre, éclatèrent en rugissements de rage et se précipitèrent sur moi avec furie. Dans cet engagement, je tuai le chef des guerriers noirs, qui voulut me frapper de son poignard, et je fus blessé au bras par Elwig, en lui arrachant son couteau, que je jetai dans le fleuve au moment où Douarnek et un autre soldat, attirés par le bruit de la lutte, s'élançaient sur le rivage.

Scanvoch me dit Douarnek, nous n'avons pas, selon tes ordres, regagné notre camp au soleil couché; nous sommes restés à notre ancrage, décidés à t'attendre jusqu au jour; mais, pensant que peutêtre tu viendrais à un autre endroit du rivage, nous l'avons longé, retournant de temps à autre à notre point de départ; c'est à l'un de ces retours que nous avons entendu ton appel, et, il n'y a qu'un instant, le bruit d'une lutte; nous avons débarqué pour venir à ton aide. Ce matin, lorsque nous t'avons vu enveloppé par ces diables noirs, notre premier mouvement a été de ramer droit à terre et d'aller nous faire tuer à tes côtés... mais je me suis rappelé tes ordres, et nous avons réfléchi que, nous faire tuer, c'était t'ôter tout moyen de retraite... Enfin, te voici: crois moi, regagnons le camp. Mauvais voisinage est celui de ces écorcheurs.

Pendant que Douarnek m'avait ainsi parlé, Elwig s'était jetée sur le corps de Riowag en poussant des rugissements de fureur mêlés de sanglots déchirants. Si détestable que fût cette créature, son accès de douleur me toucha... Je m'apprêtais à lui parler, lorsque Douarnek s'écria.

Scanvoch, voistu au loin ces torches?

Et il me montra, dans la direction du camp des Franks, plusieurs lueurs rougeâtres qui semblaient approcher avec rapidité.

On s'est aperçu de ta fuite, Elwig, lui disje en tâchant de l'arracher du corps de son amant qu'elle tenait étroitement embrassé en redoublant ses cris; ton frère est à ta poursuite... il n'y a pas un instant à perdre... viens! viens!...

Scanvoch, me dit Douarnek pendant que j'essayais en vain d'entraîner Elwig qui ne me répondait que par des sanglots, ces torches sont portées par des cavaliers... Entendstu leurs hurlements de guerre? entendstu le rapide galop de leurs chevaux?... Ils ne sont plus à six portées de flèche de nous... J'ai fait échouer notre barque pour arriver plus vite près de toi; à peine auronsnous le temps de la remettre à flot... Veuxtu nous faire tuer ici? Soit... faisonsnous bravement tuer; mais si tu veux fuir, fuyons...

C'est ton frère, c'est la mort qui vient! criaije une dernière fois à Elwig, que je ne pouvais abandonner sans regret; car elle m'avait, après tout, sauvé la vie. Dans un instant il sera trop tard...

Et comme la prêtresse ne me répondait pas, je criai à Douarnek:

Aidemoi... enlevonsla de force!

Pour arracher Elwig du cadavre de Riowag, qu'elle enlaçait avec une force convulsive, il eût fallu emporter les deux corps: Douarnek et moi, nous y avons renoncé.

Les cavaliers franks s'approchaient si rapidement, que la lueur de leurs torches, faites de brandons résineux, se projetait jusque sur la grève... Il n'était plus temps de sauver Elwig... Notre barque, grâce à nos efforts, fut remise à flot: je saisis le gouvernail; Douarnek et les deux autres soldats ramèrent avec vigueur.

Nous n'étions qu'à une portée de trait du rivage, lorsqu'à la clarté de leurs flambeaux, nous vîmes les cavaliers franks accourir; et, à leur tête, je reconnus Néroweg, l'Aigle terrible, remarquable par sa stature colossale. Suivi de plusieurs cavaliers qui; comme lui, hurlaient de rage, il poussa jusqu'au poitrail son cheval dans le fleuve; ses compagnons l'imitèrent, agitant d'une main leurs longues lances, et de l'autre les torches dont les rouges reflets éclairaient au loin les eaux du fleuve et notre barque qui s'éloignait à force de rames.

Assis au gouvernail, je tournai bientôt le dos au rivage, et je dis tristement à Douarnek:

À cette heure, la misérable créature est égorgée par ces barbares!...

Et notre barque continua de voler sur les eaux.

Est-ce un homme, une femme, un démon qui nous suit? s'écria Douarnek au bout de quelques instants en abandonnant ses rames et se dressant pour regarder dans le sillage de notre barque, que la lueur lointaine des torches, agitées par les cavaliers qui renonçaient à nous poursuivre, éclairait encore.

Je me levai aussi, regardant du même côté; puis, après un moment d'observation, je m'écriai:

Haut les rames, enfants ne ramez plus... c'est elle... c'est Elwig! ... Douarnek, donne-moi un aviron! je vais le lui tendre... ses forces semblent épuisées!...

En parlant ainsi, j'avais agi. La prêtresse, fuyant son frère et une mort certaine, avait dû, pour nous rejoindre, nager avec une énergie extraordinaire. Elle saisit l'extrémité de la rame d'une main crispée: deux coups d'aviron firent reculer le canot jusqu'à elle, et à l'aide d'un soldat je pus recueillir Elwig à bord de notre barque.

Bénis soient les dieux! m'écriai-je; je me serais toujours reproché ta mort!

La prêtresse ne me répondit rien, se laissa tomber sur le banc de l'un des rameurs, et, repliée sur elle-même, la figure cachée entre ses genoux, elle garda un silence farouche. Pendant que les soldats ramaient vigoureusement, je regardai au loin derrière moi: les torches des cavaliers franks n'apparaissaient plus que comme des lueurs incertaines à travers la brume de la nuit et l'humide vapeur des eaux du fleuve. Le terme de notre traversée approchait; déjà nous apercevions les feux de notre camp sur l'autre rive. Plusieurs fois j'avais adressé la parole à Elwig, sans qu'elle m'eût répondu... Je jetai sur ses épaules et sur ses habits trempés de l'eau glacée du Rhin l'épaisse casaque de nuit d'un des soldats. En m'occupant de ce soin, je touchai l'un de ses bras, il était brûlant; étrangère à ce qui se passait dans le bateau, elle ne sortait pas de son farouche silence. En abordant au rivage, je dis à la soeur de Néroweg:

Demain, je te conduirai près de Victoria; jusque-là, je t'offre l'hospitalité dans ma maison: ma femme et la soeur de ma femme te traiteront en amie.

Elle me fit signe de marcher devant elle et me suivit. Alors Douarnek me dit à demivoix:

Si tu m'en crois, Scanvoch, après que cette diablesse qui t'a suivi à la nage, je ne sais pourquoi, se sera essuyée et réchauffée à ton foyer, enfermela jusqu'au jour; elle pourrait, cette nuit, étrangler ta femme et ton enfant... Rien n'est plus sournois et plus féroce que les femmes franques.

Cette précaution sera bonne à prendre, disje à Douarnek.

Et je me dirigeai vers ma demeure, accompagné d'Elwig, qui me suivait comme un spectre.

La nuit était avancée; je n'avais plus que quelques pas à faire pour arriver à la porte de mon logis, lorsqu'à travers l'obscurité je vis un homme monté sur le rebord d'une des fenêtres de ma maison: il semblait examiner les volets. Je tressaillis... cette croisée était celle de la chambre occupée par ma femme Ellèn.

Je dis tout bas à Elwig en lui saisissant le bras:

Ne bouge pas... attends...

Elle s'arrêta immobile... Maîtrisant mon émotion, je m'approchai avec précaution, tâchant de ne pas faire crier le sable sous mes pieds... Mon attente fut trompée, mes pas furent entendus; l'homme, averti, sauta du rebord de la fenêtre et prit la fuite. Je m'élançais à sa poursuite, lorsque Elwig, croyant que je voulais l'abandonner, courut après moi, me rejoignit, se cramponna à mon bras, me disant avec terreur:

Si l'on me trouve seule dans le camp gaulois, on me tuera.

Malgré mes efforts, je ne pus me débarrasser de l'étreinte d'Elwig que lorsque l'homme eut disparu dans l'obscurité. Il avait trop d'avance sur moi, la nuit était trop sombre, pour qu'il me fût possible de l'atteindre. Surpris et inquiet de cette aventure, je frappai à la porte de ma demeure.

Presque aussitôt j'entendis au dedans du logis les voix de ma femme et de sa soeur, inquiètes sans doute de la durée de mon absence; quoiqu'elles ignorassent que j'étais allé au camp des Franks, elles ne s'étaient pas couchées.

C'est moi! leur criaije, c'est moi Scanvoch!

À peine la porte futelle ouverte qu'à la clarté de la lampe que tenait Sampso, ma femme se jeta dans mes bras, en me disant d'un ton doux et de tendre reproche:

Enfin, te voilà!... nous commencions à nous alarmer, ne te voyant pas revenir depuis ce matin...

Nous qui comptions sur vous pour notre petite fête, ajouta Sampso; mais vous vous êtes trouvé avec d'anciens compagnons de guerre... et les heures ont vite passé.

Oui, l'on aura longuement parlé batailles, ajouta Ellèn, toujours suspendue à mon cou, et mon bienaimé Scanvoch a un peu oublié sa femme...

Ellèn fut interrompue par un cri de Sampso... Elle n'avait pas d'abord aperçu Elwig, restée dans l'ombre à côté de la porte; mais à la vue de cette sauvage créature, pâle, sinistre, immobile, la soeur de ma femme ne put cacher sa surprise et son effroi involontaire. Ellèn se détacha brusquement de moi, remarqua aussi la présence de la prêtresse, et, me regardant non moins étonnée que sa soeur, elle me dit:

Scanvoch, cette femme, quelle estelle?

Ma soeur! s'écria Sampso oubliant la présence d'Elwig et me considérant plus attentivement, vois donc, les manches de la saie de Scanvoch sont ensanglantées... il est blessé!...

Ma femme pâlit, se rapprocha vivement de moi, et me regarda avec angoisse.

Rassuretoi, lui disje, ces blessures sont légères... je vous avais caché, à toi et à ta soeur, le but de mon absence: j'étais allé au camp des Franks, chargé d'un message de Victoria.

Aller au camp des Franks! s'écrièrent Ellèn et Sampso avec terreur, c'était la mort!

Et voilà celle qui m'a sauvé de la mort, disje à ma femme en lui montrant Elwig, toujours immobile. Je vous demande à toutes deux vos soins pour elle jusqu'à demain... Je la conduirai chez Victoria.

En apprenant que je devais la vie à cette étrangère, ma femme et sa soeur allèrent vivement à elle dans l'expansion de leur reconnaissance; mais presque aussitôt elles s'arrêtèrent, intimidées, effrayées par la sinistre et impassible physionomie d'Elwig, qui semblait ne pas les apercevoir et dont l'esprit devait être ailleurs.

Donnezlui seulement quelques vêtements secs, les siens sont trempés d'eau, disje à ma femme et à sa soeur. Elle ne comprend pas le gaulois, vos remercîments seraient inutiles.

Si elle ne t'avait sauvé la vie, me dit Ellèn, je trouverais à cette femme l'air sombre et menaçant.

Elle est sauvage comme ses sauvages compatriotes... Lorsque vous lui aurez donné des vêtements, je la conduirai dans la petite chambre basse, où je l'enfermerai pour plus de prudence.

Sampso étant allée chercher une tunique et une mante pour Elwig, je dis à ma femme:

Cette nuit... peu de temps avant mon retour... tu n'as entendu aucun bruit à la fenêtre de ta chambre?

Aucun... ni Sampso non plus, car elle ne m'a pas quittée de la soirée, tant nous étions inquiètes de la durée de ton absence... Mais pourquoi me faistu cette question?

Je ne répondis pas tout d'abord à ma femme, car, voyant sa soeur revenir avec des vêtements, je dis à Elwig en les lui remettant:

Voici des habits que ma femme et sa soeur t'offrent pour remplacer les tiens qui sont mouillés... Astu besoin d'autre chose? ... Astu faim?... astu soif? Enfin, que veuxtu?

Je veux la solitude, me répondit Elwig en repoussant les vêtements du geste, je veux la nuit noire...

Suismoi donc, lui disje.

Et marchant devant elle, j'ouvris la porte d'une petite chambre, et j'ajoutai en élevant la lampe, afin de lui montrer l'intérieur de ce réduit:

Tu vois cette couche... repose toi... et que les dieux te rendent paisible la nuit que tu vas passer dans ma demeure!

Elwig ne répondit rien, et se jeta sur le lit en se cachant la figure entre les mains.

Maintenant, disje en fermant la porte, ce devoir hospitalier accompli, je brûle d'aller embrasser mon petit Aëlguen.

Je le trouvai, mon enfant, dans ton berceau, dormant d'un paisible sommeil; je te couvris de mille baisers, dont je sentis d'autant mieux la douceur que j'avais un moment craint de ne te revoir jamais. Ta mère et sa soeur examinèrent et pansèrent mes blessures... elles étaient légères.

Pendant qu'Ellèn et Sampso me donnaient ces soins, je leur parlai de l'homme qui, monté sur le rebord de la fenêtre, m'avait paru examiner sa fermeture. Elles furent trèssurprises de mes paroles; elles n'avaient rien entendu, ayant toutes deux passé la soirée auprès du berceau de mon fils.

En causant ainsi, Ellèn me dit:

Saistu, Scanvoch, la nouvelle d'aujourd'hui?

Non.

Tétrik, gouverneur d'Aquitaine et parent de Victoria, est arrivé ce soir... La mère des camps est allée à cheval à sa rencontre... nous l'avons vue passer.

Et Victorin, disje à ma femme, accompagnaitil sa mère?

Il était à ses côtés... c'est pour cela sans doute que nous ne l'avons pas vu dans la journée.

L'arrivée de Tétrik me donna beaucoup à réfléchir.

Sampso me laissa seul avec Ellèn... La nuit était avancée... je devais, le lendemain, dès l'aube, aller rendre compte à Victoria et à son fils du résultat de mon message auprès des chefs franks.

CHAPITRE III

Le jour venu, je me suis rendu chez Victoria. On arrivait à cette modeste demeure par une ruelle étroite et assez longue, bordée des deux côtés par de hauts retranchements, dépendant des fortifications d'une des portes de Mayence. J'étais à environ vingt pas du logis de la mère des camps, lorsque j'entendis derrière moi ces cris, poussés avec un accent d'effroi:

Sauvezvous! sauvezvous!...

En me retournant, je vis, non sans crainte, arriver sur moi, avec rapidité, un char à deux roues, attelé de deux chevaux, dont le conducteur n'était plus maître.

Je ne pouvais me jeter ni à droite ni à gauche de cette ruelle étroite, afin de laisser passer ce char, dont les roues touchaient presque de chaque côté les murs; je me trouvais aussi trop loin de l'entrée du logis de Victoria pour espérer de m'y réfugier, si rapide que fût ma course: je devais, avant d'arriver à la porte, être broyé sous les pieds des chevaux... Mon premier mouvement fut donc de leur faire face, d'essayer de les saisir par leur mors et de les arrêter ainsi, malgré ma presque certitude d'être écrasé. Je m'élançai les deux mains en avant; mais, ô prodige! à peine j'eus touché le frein des chevaux, qu'ils s'arrêtèrent subitement sur leurs jarrets, comme si mon geste eût suffi pour mettre un terme à leur course impétueuse... Heureux d'échapper à une mort presque certaine, mais ne me croyant pas magicien et capable de refréner, d'un seul geste, des chevaux emportés, je me demandais, en reculant de quelques pas, la cause de cet arrêt extraordinaire, lorsque bientôt je remarquai que les chevaux, quoique forcés de rester en place, faisaient de violents efforts pour avancer, tantôt se cabrant, tantôt s'élançant en avant et roidissant leurs traits, comme si le chariot eût été tout à coup enrayé ou retenu par une force insurmontable.

Ne pouvant résister à ma curiosité, je me rapprochai; puis, me glissant entre les chevaux et le mur de retranchement, je parvins à monter sur l'avanttrain du char, dont le cocher, plus mort que vif, tremblait de tous ses membres; de l'avanttrain je courus à l'arrière, et je vis, non sans stupeur, un homme de la plus grande taille et d'une carrure d'Hercule, cramponné à deux espèces d'ornements recourbés qui terminaient le dossier de cette voiture, qu'il venait ainsi d'arrêter dans sa course, grâce à une force surhumaine.

Le capitaine Marion! m'écriaije, j'aurais dû m'en douter: lui seul, dans l'armée gauloise, est capable d'arrêter un char dans sa course rapide.

Dis donc à ce cocher du diable de raccourcir ses guides et de contenir ses chevaux... mes poignets commencent à se lasser, me dit le capitaine.

Je transmettais cet ordre au cocher, qui commençait à reprendre ses esprits, lorsque je vis plusieurs soldats, de garde chez Victoria, sortir de la maison, et, accourant au bruit, ouvrir la porte de la cour, et donner ainsi libre entrée au char.

Il n'y a plus de danger, disje au cocher; conduis maintenant tes chevaux doucement jusqu'au logis. Mais à qui appartient cette voiture?

À Tétrik, gouverneur de Gascogne, arrivé d'hier à Mayence; il demeure chez Victoria, me répondit le cocher en calmant de la voix ses chevaux.

Pendant que le char entrait dans la maison de la mère des camps, j'allai vers le capitaine pour le remercier de son secours inattendu.

Marion avait, je l'ai dit, mon enfant, quitté, pour la guerre, son enclume de forgeron; il était connu et aimé dans l'armée autant par son courage héroïque et sa force extraordinaire que par son rare bon sens, sa ferme raison, l'austérité de ses moeurs et son extrême bonhomie.

Il s'était redressé sur ses jambes, et, son casque à la main, il essuyait son front baigné de sueur. Il portait une cuirasse de mailles d'acier pardessus sa saie gauloise, et une longue épée à son côté; ses bottes poudreuses annonçaient qu'il venait de faire une longue course à cheval. Sa grosse figure hâlée, à demi couverte d'une barbe épaisse et déjà grisonnante, était aussi ouverte qu'avenante et joviale.

Capitaine Marion, lui disje, je te remercie de m'avoir empêché d'être écrasé sous les roues de ce char.

Je ne savais pas que c'était toi qui risquais d'être foulé aux pieds des chevaux, ni plus ni moins qu'un chien ahuri, sotte mort pour un brave soldat comme toi, Scanvoch; mais quand j'ai entendu ce cocher du diable s'écrier: «Sauvezvous!» j'ai deviné qu'il allait écraser quelqu'un; alors j'ai tâché d'arrêter ce char, et, heureusement, ma mère m'a doué de bons poignets et de solides jarrets. Mais où est donc mon cher ami Eustache? ajouta le capitaine en regardant autour de lui.

De qui parlestu?

D'un brave garçon, mon ancien compagnon d'enclume: comme moi, il a quitté le marteau pour la lance: les hasards de la guerre m'ont mieux servi que lui, car, malgré sa bravoure, mon ami Eustache est resté simple cavalier, et je suis devenue capitaine...

Mais le voici làbas, les bras croisés, immobile comme une borne... Hé! Eustache! Eustache!...

À cet appel, le compagnon du capitaine Marion s'approcha lentement, les bras toujours croisés sur sa poitrine. C'était un homme de stature moyenne et vigoureuse; sa barbe et ses cheveux d'un blond pâle, son teint bilieux, sa physionomie dure et morose, offraient un contraste frappant avec l'extérieur avenant du capitaine Marion. Je me demandais quelles singulières affinités avaient pu rapprocher dans une étroite et constante amitié deux hommes de dehors et de caractères si dissemblables.

Comment, mon ami Eustache, lui dit le capitaine, tu restes là, les bras croisés, à me regarder, tandis que je m'efforce d'arrêter un char lancé à toute bride?

Tu es si fort! répondit Eustache. Quelle aide peut apporter le ciron au taureau?

Cet homme doit être jaloux et haineux, me suisje dit en entendant cette réponse, et en remarquant l'expression des traits de l'ami du capitaine.

Va pour le ciron et le taureau, mon ami Eustache, reprit le capitaine avec sa bonhomie habituelle, et paraissant flatté de la comparaison; mais quand le ciron et le taureau sont camarades, si gros que soit celuici, si petit que soit celuilà, l'un n'abandonne pas l'autre...

Capitaine, répondit le soldat avec un sourire amer, t'aije jamais abandonné au jour du danger, depuis que nous avons quitté la forge?

Jamais! s'écria Marion en prenant cordialement la main d'Eustache, jamais; car, aussi vrai que l'épée que tu portes est la dernière arme que j'ai forgée, pour t'en faire un don d'amitié, ainsi que cela est gravé sur la lame, tu as toujours, à la bataille, marché dans mon ombre, comme nous disons au pays.

Qu'y atil d'étonnant à cela? reprit le soldat; auprès de toi, si vaillant et si robuste... j'étais ce que l'ombre est au corps.

Par le diable! quelle ombre! mon ami Eustache, dit en riant le capitaine.

Et, s'adressant à moi, il ajouta, montrant son compagnon Eustache:

Qu'on me donne deux ou trois mille ombres comme cellelà, et à la première bataille je ramène un troupeau de prisonniers franks.

Tu es un capitaine renommé! Moi, comme tant d'autres pauvres hères, nous ne sommes bons qu'à obéir, à nous battre et à nous faire tuer, répondit l'ancien forgeron en plissant ses lèvres minces.

Capitaine, disje à Marion, n'avezvous pas à parler à Victorin ou à sa mère?

Oui, j'ai à rendre compte à Victorin d'un voyage dont moi et mon vieux camarade nous arrivons.

Je t'ai suivi comme soldat, dit Eustache; le nom d'un obscur cavalier ne mérite pas l'honneur d'être prononcé devant Victoria la Grande.

Le capitaine haussa les épaules avec impatience, et de son poing énorme il menaça familièrement son ami.

Capitaine, disje à Marion, hâtonsnous d'entrer chez Victoria; le soleil est déjà haut et je devais me rendre chez elle à l'aube.

Ami Eustache, dit Marion en se dirigeant vers la maison, veux tu rester ici, ou aller m'attendre chez nous?

Je t'attendrai ici à la porte... c'est la place d'un subalterne...

Croiriezvous, Scanvoch, reprit Marion en riant, croiriezvous que depuis tantôt vingt ans que ce mauvais garçon et moi nous vivons et guerroyons ensemble comme deux frères, il ne veut pas oublier que je suis capitaine et me traiter en simple batteur d'enclume, comme nous nous traitions jadis?...

Je ne suis pas seul à reconnaître la différence qu'il y a entre nous, Marion, répondit Eustache; tu es l'un des capitaines les plus renommés de l'armée... je ne suis, moi que le dernier de ses soldats.

Et il s'assit sur une pierre à la porte de la maison en rongeant ses ongles.

Il est incorrigible, me dit le capitaine. Et nous sommes tous deux entrés chez Victoria.

Il faut que le capitaine Marion soit étrangement aveuglé par l'amitié pour ne pas s'apercevoir que son compagnon est dévoré d'une haineuse envie, pensaije à part moi.

La demeure de la mère des camps était d'une extrême simplicité. Le capitaine Marion ayant demandé à l'un des soldats de garde si Victorin pouvait le recevoir, le soldat répondit que le jeune général n'avait point passé la nuit au logis.

Marion, malgré la vie des camps, conservait une grande austérité de moeurs; il parut choqué d'apprendre que Victorin n'était pas encore rentré chez lui, et il me regarda d'un air mécontent. Je voulus, sans pourtant mentir, excuser le fils de Victoria, et je répondis au capitaine:

Ne nous hâtons pas de mal juger Victorin: hier, Tétrik, gouverneur de Gascogne, est arrivé au camp, il se peut que Victorin ait passé la nuit en conférence avec lui.

Tant mieux... car je voudrais voir ce jeune homme, aujourd'hui chef des Gaules, sortir des griffes de cette peste de luxure qui nous pousse à tant de mauvais actes... Quant à moi, dès que j'aperçois un coqueluchon ou un jupon court, je détourne la vue comme si je voyais le démon en personne.

Victorin s'amende, et il s'amendera davantage encore; l'âge viendra, disje au capitaine; mais, que voulezvous! il est jeune, il aime le plaisir...

Et moi aussi, j'aime le plaisir, et furieusement encore!... reprit le bon capitaine. Ainsi... rien ne me plaît plus, mon service accompli, que de rentrer chez moi pour vider un pot de cervoise, bien rafraîchissant, avec mon ami Eustache, en causant de notre métier d'autrefois, ou en nous amusant à fourbir nos armes en fins armuriers... Voilà des plaisirs! Et pourtant, malgré leur vivacité, ils n'ont rien que d'honnêteté... Espérons, Scanvoch, que Victorin les préférera quelque jour à ses orgies impudiques et diaboliques...

Espérons, capitaine; mieux vaut l'espérance que la désespérance... Mais, en l'absence de Victorin, vous pouvez conférer avec sa mère... Je vais la prévenir de votre arrivée.

Je laissai Marion seul, et passant dans une pièce voisine, j'y trouvai une vieille servante qui m'introduisit auprès de la mère des camps.

Je veux, mon enfant, pour toi et pour notre descendance, tracer ici le portrait de cette illustre Gauloise, une des gloires de notre bienaimée patrie.

J'ai trouvé Victoria assise à côté du berceau de son petitfils Victorinin, joli enfant de deux ans qui dormait d'un profond sommeil. Elle s'occupait d'un travail de couture, selon son habitude de bonne ménagère. Elle avait alors mon âge, trentehuit ans; mais on lui eût à peine donné trente ans; dans sa jeunesse, on l'avait justement comparée à la

Diane chasseresse; dans son âge mûr, on la comparait non moins justement à la Minerve antique: grande, svelte et virile, sans perdre pour cela des chastes grâces de la femme, elle avait une taille incomparable; son beau visage, d'une expression grave et douce, avait un grand caractère de majesté sous sa noire couronne de cheveux, formée de deux longues tresses enroulées autour de son front auguste. Envoyée tout enfant dans un collège de nos druidesses vénérées, et ayant prononcé à quinze ans les voeux mystérieux qui la liaient d'une manière indissoluble à la religion sacrée de nos pères, elle avait depuis lors, quoique mariée, toujours conservé les vêtements noirs que les druidesses et les matrones de la vieille Gaule portaient d'habitude: ses larges et longues manches, fendues à la hauteur de la saignée, laissaient voir ses bras aussi blancs, aussi forts que ceux de ces vaillantes Gauloises qui ont héroïquement combattu les Romains à la bataille de Vannes, sous les yeux de notre aïeule Margarid, et préféré la mort aux hontes de l'esclavage.

Au milieu de la chambre, et non loin du siége où la mère des camps était assise, auprès du berceau de son petitfils, on voyait plusieurs rouleaux de parchemin et tout ce qu'il fallait pour écrire; accrochés à la muraille étaient les deux casques et les deux épées du père et du mari de Victoria, tués à la guerre... L'un de ces casques était surmonté d'un coq gaulois en bronze doré, les ailes à demi ouvertes, tenant sous les pattes une alouette qu'il menaçait du bec. Cet emblème avait été adopté comme ornement de guerre par le père de Victoria, après un combat héroïque, où, à la tête d'une poignée de soldats, il avait exterminé une légion romaine qui portait une alouette sur ses enseignes. Audessous de ces armes on voyait une coupe d'airain où trempaient sept brins de gui, car la Gaule avait retrouvé sa liberté religieuse en recouvrant son indépendance. Cette coupe d'airain et ces brins de gui, symboles druidiques, étaient accompagnés d'une croix de bois noir, en commémoration de la mort de Jésus de Nazareth, pour qui la mère des camps, sans être chrétienne, professait une profonde admiration; elle le regardait comme l'un des sages qui honoraient le plus l'humanité.

Telle était, mon enfant, Victoria la Grande, cette illustre Gauloise dont notre descendance prononcera toujours le nom avec orgueil et respect.

La mère des camps, à ma vue, se leva vivement, vint à moi d'un air content, me disant de sa voix sonore et douce:

Sois le bienvenu, frère; ta mission était périlleuse... Ne te voyant pas de retour avant la fin du jour, je n'ai pas voulu envoyer chez toi, de crainte d'alarmer ta femme en me montrant inquiète de la durée de ton absence... Te voici, je suis heureuse...

Et elle serra tendrement mes mains dans les siennes.

Les paroles qu'elle m'adressait ayant troublé sans doute le sommeil du petitfils de Victoria, il fit entendre un léger murmure; elle retourna promptement vers lui, le baisa au front; puis se rasseyant et posant le bout de son pied sur une bascule qui soutenait le berceau, Victoria lui imprima ainsi un léger balancement, tout en continuant de causer avec moi.

Et le message? me ditelle. Comment ces barbares l'ontils accueilli?... Veulentils la paix?... Veulentils une guerre d'extermination?

Au moment où j'allais lui répondre, ma soeur de lait m'interrompit d'un geste, et ajouta ensuite, après un moment de réflexion:

Saistu que Tétrik, mon bon parent, est ici depuis hier?

Je le sais.

Il ne peut tarder à venir; je préfère que devant lui seulement tu me rendes compte de ce message.

Il en sera donc ainsi... Pouvezvous recevoir le capitaine
Marion? En entrant je l'ai rencontré; il venait conférer avec
Victorin...
Scanvoch, mon fils a encore passé la nuit hors de son logis! me dit Victoria en imprimant à son aiguille un mouvement plus rapide, ce qui annonçait toujours chez elle une vive contrariété.

Sachant la venue de votre parent de Gascogne, j'ai pensé que peutêtre de graves intérêts avaient retenu Victorin en conférence avec Tétrik durant cette nuit... Voilà du moins ce que j'ai laissé supposer au capitaine Marion, en lui disant que vous pourriez sans doute l'entendre.

Victoria resta quelques moments silencieuse; puis, laissant son ouvrage de couture sur ses genoux, elle releva la tête et reprit d'un ton à la fois douloureux et contenu:

Victorin a des vices..., ils étoufferont ses qualités!

Ayez confiance et espoir... l'âge le mûrira.

Depuis deux ans ses vices augmentent, ses qualités déclinent!

Sa bravoure, sa générosité, sa franchise, n'ont pas dégénéré...

Sa bravoure n'est plus cette calme et prévoyante bravoure qui sied à un général..., elle devient aveugle... folle... Sa générosité ne choisit plus entre les dignes et les indignes; sa raison faiblit, le vin et la débauche le perdent... Par Hésus! ivrogne et débauché!..., lui, mon fils! l'un des deux chefs de notre Gaule, aujourd'hui libre... et demain peutêtre sans égale parmi les nations du monde... Scanvoch, je suis une malheureuse mère!...

Victorin m'aime..., je lui dirai de paternelles mais sévères paroles...

Croistu donc que tes paroles feront ce que n'ont pas fait les paroles de sa mère, de cellelà qui depuis plus de vingt ans ne l'a pas quitté, le suivant aux armées, souvent à la bataille? Scanvoch, Hésus me punit... j'ai été trop fière de mon fils...

Et quelle mère n'eût pas été fière de lui, ce jour où toute une vaillante armée acclamait librement pour son chef ce général de vingt ans, derrière lequel on voyait... vous, sa mère?

Et qu'importe, s'il me déshonore!... Et pourtant ma seule ambition était de faire de mon fils un citoyen, un homme digne de nos pères!... En le nourrissant de mon lait, ne l'aije pas aussi nourri d'un ardent et saint amour pour notre Gaule renaissante à la vie, à la liberté?... Qu'estce que j'ai toujours voulu, moi? Vivre obscure, ignorée, mais employer mes veilles, mes jours, mon intelligence, ma science du passé, qui me donne la conscience du présent, et parfois la connaissance de l'avenir... employer enfin toutes les forces de mon âme et de mon esprit à rendre mon fils vaillant, sage, éclairé, digne en tout de guider les hommes libres qui l'ont librement élu pour chef... Et alors, Hésus m'en est témoin! fière comme Gauloise, heureuse comme mère d'avoir enfanté un tel homme, j'aurais joui de sa gloire et de la prospérité de mon pays du fond de ma retraite... Mais avoir un fils ivrogne et débauché! Courroux du ciel! Cet insensé ne comprend donc pas qu'à chaque excès il soufflette sa mère! S'il ne le comprend pas, nos soldats le sentent, eux autres... Hier, je traversais le camp, trois vieux cavaliers viennent à ma rencontre et me saluent... Saistu ce qu'ils me disent? Mère, nous le plaignons!... Puis ils se sont éloignés tristement... Scanvoch, je te le dis... je suis une malheureuse mère!...

Écoutezmoi, depuis quelque temps nos soldats se désaffectionnent de Victorin, je l'avoue, je le comprends; car l'homme que des hommes libres ont choisi pour chef doit être pur de tout excès et vaincre même les entraînements de son âge... Cela est vrai, ma soeur, et souvent n'aije pas blâmé votre fils devant vous?...

J'en conviens.

Je le défends surtout à cette heure, parce que ces soldats, aujourd'hui si scrupuleux sur des défauts fréquents chez les jeunes chefs militaires, obéissent moins à leurs scrupules... qu'à des excitations perfides.

Que veuxtu dire?

On est jaloux de votre fils, de son influence sur les troupes; et, pour le perdre, on exploite ses défauts afin de donner créance à des calomnies infâmes.

Qui serait jaloux de Victorin? Qui aurait intérêt à répandre ces calomnies?

C'est surtout depuis un mois, n'estce pas? que cette hostilité contre votre fils s'est manifestée, et qu'elle va s'empirant.

Oui, oui; mais encore une fois qui soupçonnestu de l'avoir excitée?

Ma soeur, ce que je vais vous dire est grave...

Achève...

Il y a un mois, un de nos parents, gouverneur de Gascogne, est venu à Mayence...

Tétrik?

Oui; puis il est reparti au bout de quelques jours?

Eh bien?

Presque aussitôt après le départ de Tétrik la sourde hostilité contre votre fils s'est déclarée et a toujours été croissante!...

Victoria me regarda en silence, comme si elle n'avait pas d'abord compris mes paroles; puis, une idée subite lui venant à l'esprit, elle s'écria d'un ton de reproche:

Quoi! tu soupçonnerais Tétrik... mon parent, mon meilleur ami! lui, le plus sage des hommes! lui, l'un des meilleurs esprits de ce temps; lui qui, jusque dans les distractions qu'il cherche dans les lettres, se montre grand poète! lui, l'un des plus utiles défenseurs de la Gaule, bien qu'il ne soit pas homme de guerre; lui qui, dans son gouvernement de Gascogne, répare, à force de soins, les maux de la guerre civile, autrefois soulevée pour reconquérir notre indépendance?... Ah! frère! frère! j'attendais mieux de ton loyal coeur et de ta raison.

Je soupçonne cet homme...

Mais tu es insensé! le soupçonner, lui qui, père d'un fils que lui a laissé une femme toujours regrettée, puise dans ses habitudes de paternelle indulgence une excuse aux vices de Victorin... Ne l'aimetil pas, ne le défendil pas aussi chaleureusement que tu le défends toimême?...

Je soupçonne cet homme.

Oh! tête de fer! caractère inflexible!... Pourquoi soupçonnes tu Tétrik? De quel droit? Qu'atil fait? Par Hésus! si tu n'étais mon frère... si je ne connaissais ton coeur..., je te croirais jaloux de l'amitié que j'ai pour mon parent!

À peine Victoria eutelle prononcé ces paroles, qu'elle les regretta et me dit:

Oublie ces paroles...

Elles me seraient pénibles, ma soeur, si le doute injuste qu'elles expriment vous aveuglait sur la vérité que je dis.

À ce moment, la servante entra et demanda si Tétrik pouvait être introduit.

Qu'il vienne, répondit Victoria, qu'il vienne à l'instant!

En même temps parut Tétrik.

C'était un petit homme entre les deux âges, d'une figure fine et douce; un sourire affable effleurait toujours ses lèvres; il avait enfin tellement l'extérieur d'un homme de bien, que Victoria, le voyant entrer, ne put s'empêcher de me jeter un regard qui semblait encore me reprocher mes soupçons.

Tétrik alla droit à Victoria, la baisa au front avec une familiarité paternelle et lui dit:

Salut à vous, chère Victoria.

Puis, s'approchant du berceau où continuait de dormir le petit fils de la mère des camps, le gouverneur de Gascogne, contemplant l'enfant avec tendresse, ajouta tout bas, comme s'il eût craint de le réveiller:

Dors, pauvre petit! Tu souris à tes songes enfantins, et tu ignores que l'avenir de notre Gaule bienaimée repose peutêtre sur ta tête... Dors, enfant prédestiné sans doute à poursuivre la tâche entreprise par ton glorieux père! noble tâche qu'il accomplira durant de longues années sous l'inspiration de ton auguste aïeule!... Dors, pauvre petit, ajouta Tétrik dont les yeux se remplirent de larmes d'attendrissement, les dieux secourables et propices à la Gaule veilleront sur toi!...

Victoria, pendant que son parent essuyait ses yeux humides, m'interrogea de nouveau du regard, comme pour me demander si c'étaient là le langage et la physionomie d'un traître, d'un homme perfidement ennemi du père de cet enfant.

Tétrik, s'adressant alors à moi, me dit affectueusement:

Salut au meilleur, au plus fidèle ami de la femme que j'aime et que je vénère le plus au monde.

C'est la vérité; je suis le plus obscur, mais le plus dévoué des amis de Victoria, aije répondu en regardant fixement Tétrik; et le devoir d'un ami est de démasquer les traîtres!

Je suis de votre avis, bon Scanvoch, reprit simplement Tétrik; le premier devoir d'un ami est de démasquer les fourbes; je crains moins le lion rugissant, la gueule ouverte, que le serpent rampant dans l'ombre.

Alors, moi, Scanvoch, je vous dis ceci, à vous, Tétrik: Vous êtes un de ces dangereux reptiles dont vous parlez... je vous crois un traître! je vous accuse d'être un traître!...

Scanvoch! s'écria Victoria d'un ton de reproche, songestu à tes paroles?

Je vois que la vieille plaisanterie gauloise, une de nos franchises, nous est revenue avec nos dieux et notre liberté, reprit en souriant le gouverneur.

Puis, se retournant vers Victoria, il ajouta:

Notre ami Scanvoch possède la gausserie sérieuse... la plus plaisante de toutes...

Mon frère parte en honneur et conscience, reprit la mère des camps. Il m'afflige, puisqu'en vous accusant il se trompe; mais il est sincère dans son erreur...

Tétrik, regardant tour à tour Victoria et moi avec une sorte de stupeur, garda le silence; puis il reprit d'un ton grave, cordial et pénétré:

Tout ami fidèle est ombrageux; bon Scanvoch, inexplicable est pour moi votre défiance, mais elle doit avoir sa cause; franche est l'attaque, franche sera la réponse... Que me reprochezvous?

Il y a un mois, vous êtes venu à Mayence, un homme à vous, votre secrétaire, nommé Morix, bien muni d'argent, a donné à boire à beaucoup de soldats, tâchant de les irriter contre Victorin, leur disant qu'il était honteux que leur général, l'un des deux chefs de la Gaule régénérée, fût un ivrogne et un dissolu... Votre secrétaire atil, oui ou non, tenu ces propos?...

Continuez, ami Scanvoch, continuez...

Votre secrétaire a cité un fait qui, depuis propagé dans le camp, a fait naître une grande irritation contre Victorin... Ce fait, le voici il y a quelques mois, Victorin et quelques officiers seraient allés dans une taverne située dans une île des bords du Rhin; après boire, animé par le vin, Victorin aurait fait violence à l'hôtesse... et elle se serait tuée de désespoir...

Mensonge! s'écria Victoria. Je sais et condamne les défauts de mon fils... mais il est incapable d'une pareille infamie!

Le gouverneur m'avait écouté dans un silence imperturbable; il reprit en souriant:

Ainsi, bon Scanvoch, selon vous, mon secrétaire aurait, d'après mes ordres, répandu dans le camp ces calomnies indignes?

Oui.

Quel serait mon but?

Vous êtes ambitieux...

Et comment ces calomnies serviraientelles mon ambition?

Les soldats se désaffectionnant de Victorin, élu par eux général et l'un des chefs de la Gaule, vous useriez de votre influence sur Victoria, afin de l'amener à vous proposer aux soldats comme successeur de Victorin.

Une mère! y songezvous, bon Scanvoch? répondit Tétrik en regardant Victoria; une mère sacrifier son fils à un ami!...

Victoria, dans la grandeur de son amour pour son pays, sacrifierait son fils à votre élévation, si ce sacrifice était nécessaire au salut de la Gaule... Aije menti, ma soeur?

Non, me répondit Victoria, qui paraissait chagrine de mes accusations contre son parent. En cela tu dis la vérité; mais quant au reste, tu t'abuses...

Et ce sacrifice héroïque bon Scanvoch, reprit le gouverneur, Victoria le ferait, sachant que par mes calomnies souterraines j'aurais tâché de perdre son fils dans l'esprit de nos soldats.

Ma soeur eût ignoré ces menées, si je ne les avais point démasquées... D'ailleurs, souvent je lui ai entendu dire avec raison que, si la paix s'affermissait enfin dans notre pays, il vaudrait mieux que son chef, au lieu d'être toujours enclin à batailler, songeât à guérir les maux des guerres passées; souvent elle vous a cité comme l'un de ces hommes qui préfèrent sagement la paix à la guerre.

Je pense, il est vrai, que l'épée, bonne pour détruire, est impuissante à reconstruire, reprit Victoria; et, la liberté de la Gaule affermie, je voudrais que mon fils songeât plus à la paix qu'à la guerre... Aussi t'aije engagé, Scanvoch, à tenter une dernière démarche auprès des chefs franks en t'envoyant près d'eux.

Permettezmoi de vous interrompre, Victoria, reprit Tétrik, et de demander à notre ami Scanvoch s'il n'a pas d'autre accusation à porter contre moi...

Je t'accuse d'être, ou l'agent secret de l'empereur romain, GALIEN, ou l'agent du chef de la nouvelle religion.
Moi! s'écria le gouverneur, moi, l'agent des chrétiens!...

J'ai dit l'agent du chef de la nouvelle religion... Je veux parler de l'évêque qui siége à Rome.

Moi, l'agent d'Étienne, évêque de Rome! Moi, l'agent de cet ambitieux pontife!...

Oui... à moins que, trompant à la fois et l'empereur romain et le pape de Rome, vous ne les serviez tous deux, quitte à sacrifier l'un ou l'autre, selon les nécessités de votre ambition.

Que je serve les Romains, passe encore, Scanvoch, répondit Tétrik avec son inaltérable placidité; votre soupçon, si cruel qu'il soit pour moi, peut, à la rigueur, se comprendre; car, enfin, si par la force des armes nous sommes parvenus à reconquérir pas à pas, depuis près de trois siècles, presque toutes les libertés de la vieille Gaule, les empereurs romains ont vu avec douleur notre pays échapper à leur domination; je comprendrais donc, bon Scanvoch, que vous m'accusiez de vouloir arriver au gouvernement de la Gaule, afin de la rendre tôt ou tard aux Romains, en la trahissant, il est vrai, d'une manière infâme... Mais croire que j'agis dans l'intérêt du pape des chrétiens, de ces malheureux partout persécutés, martyrisés... n'estce pas insensé?... Que pourraisje faire pour eux? Que pourraientils faire pour moi?...

J'allais répondre; Victoria m'interrompit d'un geste, et dit à Tétrik, en lui montrant la croix de bois noir, symbole de la mort de Jésus, placée à côté de la coupe d'airain, où trempaient sept brins de gui, symbole druidique:

Voyez cette croix, Tétrik, elle vous dit que, fidèle à nos dieux, je vénère cependant Celui qui a dit:

«Que nul homme n'avait le droit d'opprimer son semblable...

«Que les coupables méritaient pitié, consolation, et non le mépris et la rigueur...

«Que les fers des esclaves devaient être brisés...

Glorifiées soient donc ces maximes; les plus sages de nos druides les ont acceptées comme saintes, c'est vous dire combien j'aime la tendre et pure morale de ce jeune maître de Nazareth... Mais, voyezvous, Tétrik, ajouta Victoria d'un air pensif, il y a une chose étrange, mystérieuse, qui m'épouvante... Oui, bien des fois, durant mes longues veilles auprès du berceau de mon petitfils, songeant au présent et au passé... j'ai été tourmentée d'une vague terreur pour l'avenir. Et cette terreur, demanda Tétrik, d'où vientelle?

Quelle a été depuis trois siècles l'implacable ennemie de la Gaule? reprit Victoria; quelle a été l'impitoyable dominatrice du monde?

Rome, répondit le gouverneur, Rome païenne!

Oui, cette tyrannie qui pesait sur le monde avait son siége à Rome, reprit Victoria. Alors, ditesmoi par quelle fatalité les évêques, les papes de cette nouvelle religion qui aspirent, ils ne le cachent pas, à régner sur l'univers en dominant les souverains du monde, non par la force, mais par la croyance... oui, répondez! par quelle fatalité ces papes ontils établi à Rome le siége de leur nouveau pouvoir? Quoi! Jésus de Nazareth avait flétri de sa brûlante parole les princes des prêtres comme des hypocrites! Il avait surtout prêché l'humilité, le pardon, l'égalité parmi les hommes, et voilà qu'en son nom divinisé de nouveaux princes des prêtres se donnent pour les futurs dominateurs de l'univers; les voilà déjà, comme le pape Étienne, accusés d'ambition, d'intolérance, même par les autres évêques chrétiens! Oh! s'écria la mère des camps avec exaltation, j'aime... j'admire ces pauvres chrétiens mourant dans d'horribles tortures, en confessant l'égalité des hommes devant Dieu! l'affranchissement des esclaves, l'amour et le pardon des coupables!... Oh! pour ces héroïques martyrs, pitié, vénération!... Mais je redoute, pour l'avenir de la Gaule, ceuxlà qui se disent les chefs, les papes de ces chrétiens... Oui, je les redoute, ces princes des prêtres, venant établir à Rome le siége de leur mystérieux empire! à Rome, ce centre de la plus effroyable tyrannie qui ait jamais écrasé le monde... Espèrentils donc que l'univers, ayant eu longtemps l'habitude de subir l'oppression de la Rome des Césars..., subira patiemment l'oppression de la Rome des papes?...

Victoria, reprit Tétrik vous exagérez la puissance de ces pontifes chrétiens; grand nombre d'entre eux, persécutés par les empereurs romains, n'ont ils pas subi le martyre comme les plus pauvres néophytes?...

Je le sais... toute bataille a ses morts, et ces papes luttent contre les empereurs pour leur ravir la domination du monde!... Je sais encore que, parmi ces évêques, il s'en est trouvé de dignes de parler et de mourir au nom de Jésus... Mais s'il se rencontre de dignes pontifes, le gouvernement des prêtres n'en est pas moins à craindre! Estce à moi de vous rappeler notre histoire, Tétrik? Dites, n'atil pas été despotique, impitoyable, le gouvernement de nos prêtres à nous? Il y a dix siècles, dans ces temps primitifs où nos druides, laissant, par un calcul odieux, les peuples dans une crasse ignorance, les dominaient par la barbarie, la superstition et la terreur!... Ces temps n'ontils pas été les plus détestables de l'histoire de la Gaule?... Ces temps d'oppression et d'abrutissement n'ontils pas duré jusqu'à ces siècles glorieux et prospères, où nos druides, fondus dans le corps de la nation, comme citoyens, comme pères, comme soldats, ont participé à la vie commune, aux joies de la famille, aux guerres nationales contre l'étranger... eux, toujours les premiers à soulever les populations asservies?

Tétrik avait silencieusement écouté Victoria; mais, au lieu de lui répondre, il reprit en souriant, comme toujours, avec sérénité:

Nous voici loin de l'accusation que notre ami Scanvoch a portée contre moi... et pourtant, Victoria, vos paroles, au sujet des craintes que vous inspirent pour l'avenir les princes des prêtres chrétiens, comme vous les appelez, nous ramènent à cette accusation... Ainsi, selon vous, Scanvoch, le but des perfidies que vous me reprochez serait d'arriver au gouvernement de la Gaule, afin de la trahir au profit de Rome païenne ou de Rome catholique?

Oui, lui disje, je crois cela.

En deux mots, Scanvoch, je vais me justifier; Victoria m'aidera plus que personne... L'un de mes secrétaires, ditesvous, a tâché d'exciter l'hostilité de nos soldats contre Victorin; votre révélation me semble tardive; puis...

Je n'ai su cela qu'hier soir, disje au gouverneur de Gascogne en l'interrompant.

Peu importe, repritil; ce secrétaire, je l'ai chassé dernièrement de chez moi, apprenant, par hasard, qu'en effet, irrité contre Victorin, qui, plusieurs fois ici l'avait raillé, il s'était vengé en répandant sur lui des calomnies encore plus ridicules qu'odieuses. Mais laissons ces misères... Je suis ambitieux, ditesvous, ami Scanvoch? Je vise au gouvernement de la Gaule, dusséje y arriver par d'indignes manoeuvres?... Demandez à Victoria quel est le but de mon nouveau voyage à Mayence...

Tétrik pense qu'il serait urgent pour la paix et la prospérité de la Gaule de proposer aux soldats d'acclamer le fils de mon fils comme héritier du gouvernement de son père... Tétrik se croit certain du consentement de l'empereur Galien.

Tétrik prévoit donc la mort prochaine de Victorin? aije répondu regardant fixement le gouverneur.

Mais celuici, dont on rencontrait rarement les yeux qu'il tenait ordinairement baissés, répondit:

Les Franks sont de l'autre côté du Rhin... et Victorin est d'une bravoure téméraire; mon vif désir est qu'il vive de longues années; mais, selon moi, la Gaule trouverait un gage de sécurité pour l'avenir, si elle savait qu'après Victorin le pouvoir restera au fils de celui que l'armée a acclamé comme chef, surtout lorsque cet enfant aurait eu pour éducatrice Victoria la Grande... Victoria, l'auguste mère des camps!...

Oui, aije répondu en tâchant de nouveau, mais en vain, de rencontrer le regard du gouverneur; mais dans le cas où Victorin mourrait prochainement, qui me dit que vous, Tétrik, vous n'espérez pas être le tuteur de cet enfant, exercer le pouvoir en son nom, et arriver ainsi, par une autre voie, au gouvernement de la Gaule?

Parlezvous sérieusement, Scanvoch? reprit Tétrik. Demandez à Victoria si elle a besoin de mon aide pour faire de son petitfils un homme digne d'elle et du pays?... La croyezvous de ces femmes assez faibles pour partager avec autrui une tâche glorieuse? L'idolâtrie des soldats, pour elle ne vous estelle pas un sûr garant qu'elle seule, dans le cas où Victorin mourrait prématurément, qu'elle seule pourrait conserver la tutelle de son petitfils et gouverner pour lui?

Victoria secoua la tête d'un air pensif et reprit:

Je n'aime pas votre projet, Tétrik. Quoi! désigner au choix des soldats un enfant encore au berceau! Qui sait ce que sera cet enfant? qui sait ce qu'il vaudra?

Ne vous atil pas pour éducatrice? reprit Tétrik.

N'aije pas aussi été l'éducatrice de Victorin? répondit tristement la mère des camps; cependant, malgré mes soins vigilants, mon fils a des défauts qui autorisent des calomnies redoutables, auxquelles je vous crois étranger, je vous le dis sincèrement, Tétrik; j'espère maintenant que mon frère Scanvoch rendra, comme moi, justice à votre loyauté.

Je l'ai dit, et je le répète: je soupçonne cet homme, aije répondu à Victoria.

Elle s'écria avec impatience:

Et moi, j'ai dit et je répète que tu es une tête de fer, une vraie tête bretonne, rebelle à toute raison, lorsqu'une idée fausse s'est implantée dans ta dure cervelle.

Convaincu par instinct de la perfidie de Tétrik, je n'avais pas de preuves contre lui, je me suis tu.

Tétrik a repris en souriant:

Ni vous ni moi, Victoria, nous ne persuaderons le Scanvoch de son erreur; laissons ce soin à une irrésistible séductrice: la vérité. Avec le temps, elle prouvera ma loyauté. Nous reparlerons, Victoria, de votre répugnance à faire acclamer par l'armée votre petitfils comme héritier du pouvoir de son père, j'espère vaincre vos scrupules. Mais, ditesmoi, j'ai vu tout à l'heure, en me rendant chez vous, le capitaine Marion, cet ancien ouvrier forgeron, qu'à mon autre voyage au camp vous m'avez présenté comme l'un des plus vaillants hommes de l'armée.

Sa vaillance égale son bon sens et sa ferme raison, reprit la mère des camps; c'est aussi un noble coeur, car, malgré son élévation, il a continué d'aimer comme un frère un de ses anciens compagnons de forge, resté simple soldat.

Et moi, disje à Victoria, dusséje encore passer pour une tête de fer..., je crois que dans cette affection, le bon coeur et le bon sens du capitaine Marion se trompent. Selon moi, il aime un ennemi... Puissiezvous, Victoria, n'être pas aussi aveugle que le capitaine Marion!

Le fidèle compagnon du capitaine Marion serait son ennemi? reprit Victoria. Tu es dans un jour de méfiance, mon frère...

Un envieux est toujours un ennemi. L'homme dont je parle est resté soldat; il porte envie à son ancien camarade, devenu l'un des premiers capitaines de l'armée... De l'envie à la haine, il n'y a qu'un pas.

En disant ceci, j'avais encore, mais en vain, tâché de rencontrer le regard du gouverneur de Gascogne; mais je remarquai chez lui, non sans surprise, une sorte de tressaillement de joie lorsque j'affirmai que le capitaine Marion avait pour ennemi secret son camarade de guerre. Tétrik, toujours maître de lui, craignant sans doute que son tressaillement ne m'eût pas échappé, reprit:

L'envie est un sentiment si révoltant, que je ne puis en entendre parler sans émotion. Je suis vraiment chagrin de ce que Scanvoch, qui, je l'espère, se trompe cette fois encore, nous apprend sur le camarade du capitaine Marion... Mais si ma présence vous empêche de recevoir le capitaine, diteslemoi, Victoria... je me retire.

Je désire au contraire que vous assistiez à l'entretien que je dois avoir avec Marion et mon frère Scanvoch; tous deux ont été chargés par mon fils d'importants messages... et pourtant, ajouta telle avec un soupir, la matinée s'avance, et mon fils n'est pas ici...

À ce moment la porte de la chambre s'ouvrit, et Victorin parut, accompagné du capitaine Marion.

Victorin était alors âgé de vingtdeux ans. Je t'ai dit, mon enfant, que l'on avait frappé plusieurs médailles où il figurait sous les traits du dieu Mars, à côté de sa mère, coiffée d'un casque ainsi que la Minerve antique; Victorin aurait pu en effet servir de modèle à une statue du dieu de la guerre. Grand, svelte, robuste, sa tournure, à la fois élégante et martiale, plaisait à tous les yeux; ses traits, d'une beauté rare comme ceux de sa mère, en différaient par une expression joyeuse et hardie. La franchise, la générosité de son caractère, se lisaient sur son visage; malgré soi, l'on oubliait en le voyant les défauts qui déparaient ce vaillant naturel, trop vivace, trop fougueux pour refréner les entraînements de l'âge. Victorin venait sans doute de passer une nuit de plaisir; pourtant sa figure était aussi reposée que s'il fût sorti de son lit. Un chaperon de feutre, orné d'une aigrette, couvrait à demi ses cheveux noirs, bouclés autour de son mâle et brun visage, à demi ombragé d'une légère barbe brune; sa saie gauloise, d'étoffe de soie rayée de pourpre et de blanc, était serrée à sa taille par un ceinturon de cuir brodé d'argent, où pendait son épée à poignée d'or curieusement ciselée, véritable chefd'oeuvre de l'orfèvrerie d'Autun. Victorin en entrant chez sa mère, suivi du capitaine Marion, alla droit à Victoria avec un mélange de tendresse et de respect; il mit un genou à terre, prit une de ses mains qu'il baisa, puis, ôtant son chaperon, il tendit son front en disant:

Salut, ma mère!

Il y avait un charme si touchant, dans l'attitude, dans l'expression des traits du jeune général, ainsi agenouillé devant sa mère, que je la vis hésiter un instant entre le désir d'embrasser ce fils qu'elle adorait et la volonté de lui témoigner son mécontentement aussi, repoussant légèrement de la main le front de Victorin, elle lui dit d'une voix grave, en lui montrant le berceau placé à côté d'elle:

Embrassez votre fils... vous ne l'avez pas vu depuis hier matin...

Le jeune général comprit ce reproche indirect, se releva tristement, s'approcha du berceau, prit l'enfant entre ses bras, et l'embrassa avec effusion en regardant Victoria, semblant ainsi se dédommager de la sévérité maternelle.

Le capitaine Marion s'était approché de moi; il me dit tout bas:

C'est pourtant un bon coeur que ce Victorin; combien il aime sa mère... combien il aime son enfant!... Il leur est certes aussi attaché que je le suis, moi, à mon ami Eustache, qui compose à lui seul toute ma famille... Quel dommage que cette peste de luxure (le bon capitaine prononçait peu de paroles sans y joindre cette exclamation), quel dommage que cette peste de luxure tienne si souvent ce jeune homme entre ses griffes!

C'est un malheur!... Mais croyezvous Victorin capable de l'infâme lâcheté dont on l'accuse dans le camp? aije répondu au capitaine de manière à être entendu de Tétrik, qui, parlant tout bas à Victoria, semblait lui reprocher sa sévérité à l'égard de son fils.

Non, par le diable! reprit Marion, je ne crois pas Victorin capable de ces indignités... surtout quand je le vois ainsi entre son fils et sa mère.

Le jeune général, après avoir soigneusement replacé dans le berceau l'enfant qui lui tendait ses bras, dit affectueusement au gouverneur de Gascogne:

Salut, Tétrik!...j'aime toujours a voir ici le sage et fidèle ami de ma mère. Puis se tournant vers moi: Je savais ton retour, Scanvoch... En l'apprenant, ma joie a été grande, et grande aussi mon inquiétude durant ton absence. Ces bandits franks nous ont souvent prouvé comment ils respectaient les trêves et les parlementaires. Mais, remarquant sans doute la tristesse encore empreinte sur les traits de Victoria, son fils s'approcha d'elle, et lui dit avec autant de franchise que de tendre déférence:

Tenez, ma mère... avant de parler ici des messages du capitaine Marion et de Scanvoch... laissezmoi vous dire ce que j'ai sur le coeur... peutêtre votre front s'éclairciratil... et je ne verrai plus ce mécontentement dont je m'afflige... Tétrik est notre bon parent, le capitaine Marion notre ami, Scanvoch votre frère... je n'ai rien à cacher ici... Avouezle, chère mère, vous êtes chagrine parce que j'ai passé cette nuit dehors?

Vos désordres m'affligent, Victorin... je m'afflige davantage encore de ce que ma voix n'est plus écoutée par vous.

Mère... je veux tout vous avouer; mais, je vous le jure, je me suis plus cruellement reproché ma faiblesse que vous ne me la reprocherez vousmême... Hier soir, fidèle à ma promesse de m'entretenir longuement avec vous pendant une partie de la nuit sur de graves intérêts, je rentrais sagement au logis... j'avais refusé... oh! héroïquement refusé d'aller souper avec trois capitaines des dernières légions de cavalerie arrivées à Mayence et venant de Béziers... Ils avaient eu beau me vanter de grandes vieilles cruches de vin de ce pays du vin par excellence, soigneusement apportées par eux dans leur chariot de guerre pour fêter leur bienvenue... j'étais resté impitoyable... ils crurent alors me gagner en me parlant de deux chanteuses bohémiennes de Hongrie, Kidda et Flory... (Pardon, ma mère, de prononcer de pareils noms devant vous, mais la vérité m'y oblige.) Ces bohémiennes, disaient mes tentateurs, arrivées à Mayence depuis peu de temps, étaient belles comme des astres, lutines comme des démons, et chantaient comme des rossignols!

Ah! je la vois... je la vois venir d'ici, cette peste de luxure, marchant sur ses pattes velues, comme une tigresse sournoise et affamée! s'écria Marion. Que je voudrais donc faire danser ces effrontées diablesses de Bohème sur des plaques de fer rougies au feu... c'est alors qu'elles chanteraient d'une manière douce à mes oreilles...

J'ai été encore plus sage que toi, brave Marion, reprit Victorin; je n'ai voulu les voir chanter et danser d'aucune façon... j'ai fui à grands pas mes tentateurs pour revenir ici...

Tu auras eu beau fuir, cette damnée luxure a les jambes aussi longues que les bras et les dents! dit le capitaine; elle t'aura rattrapé, Victorin!

Daignez m'écouter, ma mère, reprit Victorin voyant ma soeur de lait faire un geste de dégoût et d'impatience. Je n'étais plus qu'à deux cents pas du logis... la nuit était noire, une femme enveloppée d'une mante à capuchon m'aborde...

Et de trois! s'écria le bon capitaine en joignant les mains. Voici les deux bohémiennes renforcées d'une femme à coqueluchon... Ah! malheureux Victorin! l'on ne sait pas les piéges diaboliques cachés sous ces coqueluchons... mon ami Eustache serait encoqueluchonné...que je le fuirais!...

« Mon père est un vieux soldat, me dit cette femme, reprit Victorin; une de ses blessures s'est rouverte, il se meurt. Il vous a vu naître, Victorin... il ne veut pas mourir sans presser une dernière fois la main de son jeune général; refuserezvous cette grâce à mon père expirant?» Voilà ce que m'a dit cette inconnue d'une voix touchante. Qu'auraistu fait, toi, Marion?

Malgré mon épouvante des coqueluchons, je serais, ma foi, allé voir ce vieux homme, répondit le capitaine; certes j'y serais allé, puisque ma présence pouvait lui rendre la mort plus agréable...

Je fais donc ce que tu aurais fait, Marion, je suis l'inconnue; nous arrivons à une maison obscure, la porte s'ouvre, ma conductrice me prend la main, je marche quelques pas dans les ténèbres; soudain une vive lumière m'éblouit, je me vois entouré par les trois capitaines des légions de Béziers, et par d'autres officiers; la femme voilée laisse tomber sa mante, et je reconnais...

Une de ces damnées bohèmes! s'écria le capitaine. Ah! je te disais bien, Victorin, que les coqueluchons cachaient d'horribles choses!

Horribles?... Hélas! non, Marion; et je n'ai pas eu le courage de fermer les yeux... Aussitôt je suis cerné de tous côtés; l'autre bohémienne accourt, les officiers m'entourent; les portes sont fermées, on m'entraîne à la place d'honneur. Kidda se met à ma droite, Flory à ma gauche; devant moi se dresse une de ces grosses vieilles cruches, remplie d'un divin nectar, disaient ces maudits, et...

Et le jour vous surprend dans cette nouvelle orgie, dit gravement Victoria en interrompant son fils. Vous oubliez ainsi dans la débauche l'heure qui vous rappelait auprès de moi. Estce là une excuse?

Non, chère mère, c'est un aveu... car j'ai été faible... mais aussi vrai que la Gaule est libre, je revenais sagement près de vous sans la ruse qu'on a employée pour me retenir. Ne me serez vous pas indulgente, cette fois encore? Je vous en supplie! ajouta Victorin en s'agenouillant de nouveau devant ma soeur de lait. Ne soyez plus ainsi soucieuse et sévère; je sais mes torts! L'âge me guérira... Je suis trop jeune, j'ai le sang trop vif;

l'ardeur du plaisir m'emporte souvent malgré moi... Pourtant, vous le savez, ma mère, je donnerais ma vie pour vous...

Je le crois; mais vous ne me feriez pas le sacrifice de vos folles et mauvaises passions...

À voir Victorin ainsi respectueux et repentant aux genoux de sa mère, aije dit tout bas à Marion, penseraiton que c'est là ce général illustre et redouté des ennemis de la Gaule, qui, à vingt deux ans a déjà gagné cinq grandes batailles?

Victoria, reprit Tétrik de sa voix insinuante et douce, je suis père aussi et enclin à l'indulgence... De plus, dans mes délassements, je suis poète et j'ai écrit une ode à la Jeunesse. Comment seraisje sévère?... J'aime tant les vaillantes qualités de notre cher Victorin, que le blâme m'est difficile! Serezvous donc insensible aux tendres paroles de votre fils? Sa jeunesse est son seul crime... Il vous l'a dit, l'âge le guérira... et son affection pour vous, sa déférence à vos volontés, hâteront la guérison...

Au moment où le gouverneur de Gascogne parlait ainsi, un grand tumulte se fit au dehors de la demeure de Victoria, et bientôt on entendit ce cri:

Aux armes! aux armes!

Victorin et sa mère, près de laquelle il s'était tenu agenouillé,
se levèrent brusquement.
On crie aux armes! dit vivement le capitaine Marion en prêtant
l'oreille.
Les Franks auront rompu la trêve! m'écriaije à mon tour; hier un de leurs chefs m'avait menacé d'une prochaine attaque contre le camp; je n'avais pas cru à une si prompte résolution.

On ne rompt jamais une trêve avant son terme, sans notifier cette rupture, dit Tétrik.

Les Franks sont des barbares capables de toutes les trahisons! s'écria Victorin en courant vers la porte.

Elle s'ouvrit devant un officier couvert de poussière, et haletant qu'il ne put d'abord à peine parler.

Vous êtes du poste de l'avantgarde du camp, à quatre lieues d'ici, dit le jeune général au nouveau venu, car Victorin connaissait tout les officiers de l'armée; que se passetil?

Une innombrable quantité de radeaux, chargés de troupes et remorqués par des barques, commençaient à paraître vers le milieu du Rhin, lorsque, d'après l'ordre du commandant du poste, je l'ai quitté pour accourir à toute bride vous annoncer cette nouvelle, Victorin... Les hordes franques doivent à cette heure avoir débarqué... Le poste que je quitte, trop faible pour résister à une armée, s'est sans doute replié sur le camp; en le traversant j'ai crié aux armes! Les légions et les cohortes se forment à la hâte.

C'est la réponse de ces barbares à notre message porté par Scanvoch, dit la mère des camps à Victorin.
Que t'ont répondu les Franks? me demanda le jeune général.

Néroweg, un des principaux rois de leur armée, a repoussé toute idée de paix, aije dit à Victorin; ces barbares veulent envahir la Gaule, s'y établir et nous asservir... J'ai menacé leur chef d'une guerre d'extermination; il m'a répondu que le soleil ne se lèverait pas six fois avant qu'il fût venu ici, dans notre camp, enlever Victoria la Grande...

S'ils marchent sur nous, il n'y a pas un instant à perdre! s'écria Tétrik effrayé en s'adressant au jeune général qui, calme, pensif, les bras croisés sur la poitrine, réfléchissait en silence; il faut agir, et promptement agir!

Avant d'agir, répondit Victoria toujours méditatif, il faut penser.

Mais, reprit le gouverneur, si les Franks s'avancent rapidement vers le camp...

Tant, mieux! dit Victoria avec impatience, tant mieux, laissonsles s'approcher...

La réponse de Victoria surprit Tétrik, et, je l'avoue, j'aurais été moimême étonné, presque inquiet d'entendre le jeune général parler de temporisation en présence d'une attaque imminente, si je n'avais eu de nombreuses preuves de la sûreté de jugement de Victorin. Sa mère fit signe au gouverneur de le laisser réfléchir à son plan de bataille, qu'il méditait sans doute, et dit à Marion:

Vous arrivez ce matin de votre voyage au milieu des peuplades de l'autre côté du Rhin, si souvent pillées par ces barbares. Quelles sont les dispositions de ces tribus?

Trop faibles pour agir seules, elles se joindront à nous au premier appel... Des feux allumés par nous, ou le jour ou la nuit, sur la colline de Bérak, leur donneront le signal; des veilleurs l'attendent; aussitôt qu'ils l'apercevront, ils se tiendront prêts à marcher; un de nos meilleurs capitaines, après le signal donné, fera embarquer quelques troupes d'élite, traversera le Rhin et opérera sa jonction avec ces tribus, pendant que le gros de notre armée agira d'un autre côté.

Votre projet est excellent, capitaine Marion, dit Victoria; en ce moment surtout une pareille alliance nous est d'un grand secours... Vous avez, comme d'habitude, vu juste et loin...

Quand on a de bons yeux, il faut tâcher de s'en servir de son mieux, répondit avec bonhomie le capitaine; aussi aije dit à mon ami Eustache...

Quel ami? demanda Victoria; de qui parlezvous, capitaine?

D'un soldat... mon ancien camarade d'enclume: je l'avais emmené avec moi dans le voyage d'où j'arrive; or, au lieu de ruminer en moimême mes petits projets, je les dis tout haut à mon ami Eustache; il est discret, point sot du tout, bourru en diable, et souvent il me grommelle des observations dont je profite.

Je sais votre amitié pour ce soldat, reprit Victoria, elle vous honore.

C'est chose simple que d'aimer un vieil ami; je lui ai donc dit «Voistu, Eustache, un jour ou l'autre ces écorcheurs franks tenteront une attaque décisive contre nous; ils laisseront, pour assurer leur retraite, une réserve à la garde de leur camp et de leurs chariots de guerre; cette réserve ne sera pas un bien gros morceau à avaler pour nos tribus alliées, renforcées d'une bonne légion d'élite commandée par un de nos capitaines... de sorte que si ces écorcheurs sont battus de ce côtéci du Rhin, toute retraite leur sera coupée sur l'autre rive.» Ce que je prévoyais arrive aujourd'hui; les Franks nous attaquent; il faudrait donc, je crois, envoyer sur l'heure aux tribus alliées quelques troupes d'élite, commandées par un capitaine énergique, prudent et avisé.

Ce capitaine... ce sera vous, Marion, dit Victoria.

Moi, soit... Je connais le pays... mon projet est fort simple... Pendant que les Franks viennent nous attaquer, je traverse le Rhin, afin de brûler leur camp, leurs chariots et d'exterminer leur réserve... Que Victorin les batte sur notre rive, ils voudront repasser le fleuve et me trouveront sur l'autre bord avec mon ami Eustache, prêt à leur tendre autre chose que la main pour les aider à aborder. Grande vanité d'ailleurs pour eux d'aborder en ce lieu, puisqu'ils n'y trouveraient plus ni réserve, ni camp, ni chariots.

Marion, reprit ma soeur de lait après avoir attentivement écouté le capitaine, le gain de la bataille est certain, si vous exécutez ce plan avec votre bravoure et votre sangfroid ordinaires.

J'ai bon espoir, car mon ami Eustache m'a dit d'un ton encore plus hargneux que d'habitude: «Il n'est point déjà si sot, ton projet, il n'est point déjà si sot.» Or, l'approbation d'Eustache m'a toujours porté bonheur.

Victoria, dit à demivoix Tétrik, ne pouvant contraindre davantage son anxiété, je ne suis pas homme de guerre... j'ai une confiance entière dans le génie militaire de votre fils; mais de moment en moment un ennemi qui nous est deux ou trois fois supérieur en nombre s'avance contre nous... et Victorin ne décide rien, n'ordonne rien!

Il vous l'a dit avec raison: «Avant d'agir, il faut penser,» répond Victoria. Ce calme réfléchi... au moment du péril, est d'un homme sage... N'estil pas insensé de courir en aveugle audevant du danger?

Soudain Victorin frappa dans ses mains, sauta au cou de sa mère, qu'il embrassa en s'écriant:

Ma mère... Hésus m'inspire... Pas un de ces barbares n'échappera, et pour longtemps la paix de la Gaule sera du moins assurée... Ton projet est excellent, Marion... il se lie à mon plan de bataille comme si nous l'avions conçu à nous deux.

Quoi! tu m'as entendu? dit le capitaine étonné, moi qui te croyais absorbé dans tes réflexions!

Un amant, si absorbé qu'il paraisse, entend toujours ce qu'on dit de sa maîtresse, mon brave Marion, répondit gaiement Victorin; et ma souveraine maîtresse, à moi... c'est la guerre!

Encore cette peste de luxure, me dit à demivoix le capitaine. Hélas! elle le poursuit partout, jusque dans ses idées de bataille!

Marion, reprit Victorin, nous avons ici, sur le Rhin, deux cents barques de guerre à six rames?

Tout autant et bien équipées.

Cinquante de ces barques te suffiront pour transporter le renfort de troupes d'élite que tu vas conduire à nos alliés de l'autre côté du fleuve?

Cinquante me suffiront.

Les cent cinquante autres, montées chacune par dix rameurs soldats armés de haches, et par vingt archers choisis, se tiendront prêtes à descendre le Rhin jusqu'au promontoire d'Herfeld, où elles attendront de nouvelles instructions; donne cet ordre au capitaine de la flottille en t'embarquant.

Ce sera fait...

Exécute ton plan de point en point, brave Marion... Extermine la réserve des Franks, incendie leur camp, leurs chariots... La journée est à nous si je force ces écorcheurs à la retraite.

Et tu les y forceras, Victorin... c'est chez toi vieille habitude, quoique ta barbe soit naissante. Je cours chercher mon bon ami Eustache et exécuter tes ordres...

Avant de sortir, le capitaine Marion tira son épée, la présenta par la poignée à la mère des camps, et lui dit:

Touchez, s'il vous plaît, cette épée de votre main, Victoria... ce sera d'un bon augure pour la journée...

Va, brave et bon Marion, répondit la mère des camps en rendant l'arme, après en avoir serré virilement la poignée dans sa belle et blanche main, va, Hésus est pour la Gaule, qui veut vivre libre et prospère.

Notre cri de guerre sera: Victoria la Grande! et on l'entendra d'un bord à l'autre du Rhin, dit Marion avec exaltation.

Puis il ajouta en sortant précipitamment:

Je cours chercher mon ami Eustache, et à nos barques! à nos barques!

Au moment où Marion sortait, plusieurs chefs de légions et de cohortes, instruits du débarquement des Franks par l'officier qui, porteur de cette nouvelle, avait sur son passage répandu l'alarme dans le camp, accoururent prendre les ordres du jeune général.

Mettez-vous à la tête de vos troupes, leur dit-il. Rendez-vous avec elles au champ d'exercice. Là, j'irai vous rejoindre, et je vous assignerai votre marche de bataille; je veux auparavant en conférer avec ma mère.

Nous connaissons ta vaillance et ton génie militaire, répondit le plus âgé de ces chefs de cohortes, robuste vieillard à barbe blanche. Ta mère, l'ange de la Gaule veille à tes côtés. Nous attendrons tes ordres avec confiance.

Ma mère, dit le jeune général d'une voix touchante, votre pardon, à la face de tous, et un baiser de vous, me donneraient bon courage pour cette grande journée de bataille!

Les égarements de la jeunesse de mon fils ont souvent attristé mon coeur, ainsi que le vôtre, à vous, qui l'avez vu naître, dit Victoria aux chefs de cohortes; pardonnezlui comme je lui pardonne...

Et elle serra passionnément son fils contre sa poitrine.

D'infâmes calomnies ont couru dans l'armée contre Victorin, reprit le vieux capitaine; nous n'y avons pas cru, nous autres; mais, moins éclairé que nous, le soldat est prompt au blâme comme à la louange... Suis donc les conseils de ton auguste mère Victorin, ne donne plus prétexte aux calomnies... Nous te disons ceci comme à notre fils, à toi l'enfant des camps, dont Victoria la Grande est la mère: nous allons attendre tes ordres; compte sur nous, nous comptons sur toi.

Vous me parlez en père, répondit Victorin, ému de ces simples et dignes paroles, je vous écouterai en fils; votre vieille expérience m'a guidé tout enfant sur les champs de bataille; votre exemple a fait de moi le soldat que je suis; je tâcherai, aujourd'hui encore, de me montrer digne de vous et de ma mère...

C'est ton devoir, puisque nous nous glorifions en toi et en elle, répondit le vieux capitaine. Puis, s'adressant à Victoria: L'armée ne te verratelle pas tout à l'heure avant de marcher au combat? Pour nos soldats et pour nous, ta présence est toujours un bon présage...

J'accompagnerai mon fils jusqu'au champ d'exercice, et puis bataille et triomphe!... Les aigles romaines planaient sur notre terre asservie! le coq gaulois les en a chassées... et il ne chasserait pas cette nuée d'oiseaux de proie qui veulent s'abattre sur la Gaule! s'écria la mère des camps avec un élan si fier, si superbe, que je crus voir en elle la déesse de la patrie et de la liberté. Par Hésus! le Frank barbare nous conquérir! Il ne resterait donc en Gaule ni une lance, ni une épée, ni une fourche, ni un bâton, ni une pierre!...

À ces mâles paroles, les chefs des légions, partageant l'exaltation de Victoria, tirèrent spontanément leurs épées, les choquèrent les unes contre les autres, et s'écrièrent à ce bruit guerrier:

Par le fer de ces épées, Victoria, nous te le jurons, la Gaule restera libre, ou tu ne nous reverras pas!...

Oui... par ton nom auguste et cher, Victoria! nous combattrons jusqu'à la dernière goutte de sang!...

Et tous sortirent en criant:

Aux armes! nos légions!...

Aux armes! nos cohortes!...

Durant toute cette scène, où s'étaient si puissamment révélés le génie militaire de Victorin, sa tendre déférence pour sa mère, l'imposante influence qu'elle et lui exerçaient sur les chefs de l'armée, j'avais souvent, à la dérobée, jeté les yeux sur le gouverneur de Gascogne, retiré dans un coin de la chambre; était ce sa peur de l'approche des Franks? étaitce sa secrète rage de reconnaître en ce moment la vanité de ses calomnies contre Victorin (car malgré la doucereuse habileté de sa défense, je soupçonnais toujours Tétrik)? Je ne sais; mais sa figure livide, altérée, devenait de plus en plus méconnaissable... Sans doute de mauvaises passions, qu'il avait intérêt à cacher, l'animaient alors; car, après le départ des chefs de légions, la mère des camps s'étant retournée vers le gouverneur, celuici tâcha de reprendre son masque de douceur habituelle, et dit à Victoria en s'efforçant de sourire:

Vous et votre fils, vous êtes doués de magie... Selon ma faible raison, rien n'est plus inquiétant que cette approche de l'armée franque, dont vous ne semblez pas vous soucier, délibérant aussi paisiblement ici que si le combat devait avoir lieu demain... Et pourtant votre tranquillité, en de pareilles circonstances, me donne une aveugle confiance...

Rien de plus naturel que notre tranquillité, reprit Victorin; j'ai calculé le temps nécessaire aux Franks pour achever de traverser le Rhin, de débarquer leurs troupes, de former leurs colonnes, et d'arriver à un passage qu'ils doivent forcément traverser... Hâter mes mouvements serait une faute, ma lenteur me sert.

Puis, s'adressant à moi, Victorin me dit:

Scanvoch, va t'armer; j'aurai des ordres à te donner après avoir conféré avec ma mère.

Tu me rejoindras avant que d'aller retrouver mon fils sur le champ d'exercice, me dit à son tour Victoria; j'ai aussi, moi, quelques recommandations à te faire.

J'oubliais de te dire une chose importante peutêtre en ce moment, aije repris. La soeur d'un des rois franks, craignant d'être mise à mort par son frère, est venue hier du camp des barbares avec moi.

Cette femme pourra servir d'otage, dit Tétrik, il faut la garder étroitement comme prisonnière.

Non, aije répondu au gouverneur, j'ai promis à cette femme qu'elle serait libre ici, et je l'ai assurée de la protection de Victoria.

Je tiendrai ta promesse, reprit ma soeur de lait. Où est cette femme?

Dans ma maison.

Faisla conduire ici après le départ des troupes, je la verrai.

Je sortais, ainsi que le gouverneur de Gascogne, afin de laisser Victorin seul avec sa mère, lorsque j'ai vu entrer chez elle plusieurs bardes et druides qui, selon notre antique usage, marchaient toujours à la tête de l'armée, afin de l'animer encore par leurs chants patriotiques et guerriers.

En quittant la demeure de Victoria, je courus chez moi pour m'armer et prendre mon cheval. De toutes parts les trompettes, les buccins, les clairons retentissaient au loin dans le camp; lorsque j'entrai dans ma maison, ma femme et Sampso, déjà prévenues par la rumeur publique du débarquement des Franks, préparaient mes armes; Ellèn fourbissait de son mieux ma cuirasse d'acier, dont le poli avait été la veille altéré par le feu du brasier allumé sur mon armure par l'ordre de Néroweg, l'Aigle terrible, ce puissant Roi des Franks.

Tu es bien la vraie femme d'un soldat, disje à Ellèn en souriant de la voir si contrariée de ne pouvoir rendre brillante la place ternie qui contrastait avec les autres parties de ma cuirasse. L'éclat des armes de ton mari est ta plus belle parure.

Si nous n'étions pas si pressées par le temps, me dit Ellèn, nous serions parvenues à faire disparaître cette place noire; car, depuis une heure, Sampso et moi, nous cherchons à deviner comment tu as pu noircir et ternir ainsi ta cuirasse.

On dirait des traces de feu, reprit Sampso, qui, de son côté, fourbissait activement mon casque avec un morceau de peau; le feu seul peut ainsi ronger le poli de l'acier.

Vous avez deviné, Sampso, aije répondu en riant et allant prendre mon épée, ma hache d'armes et mon poignard: il y avait grand feu au camp des Franks; ces gens hospitaliers m'ont engagé à m'approcher du brasier; la soirée était fraîche, et je me suis placé un peu trop près du foyer.

L'annonce du combat te rend joyeux, mon Scanvoch, reprit ma femme; c'est ton habitude, je le sais depuis longtemps.

Et l'annonce du combat ne t'attriste pas, mon Ellèn, parce que tu as le coeur ferme.

Je puise ma fermeté dans la foi de nos pères, mon Scanvoch; elle m'a enseigné que nous allons revivre ailleurs avec ceuxlà que nous avons aimés dans ce mondeci, me répondit doucement Ellèn, en m'aidant, ainsi que Sampso, à boucher ma cuirasse. Voilà pourquoi je pratique cette maxime de nos mères: «La Gauloise ne pâlit jamais lorsque son vaillant époux part pour le combat, et elle rougit de bonheur à son retour.» S'il ne revient plus, elle songe avec fierté qu'il est mort en brave, et chaque soir elle se dit: «Encore un jour d'écoulé, encore un pas de fait vers ces mondes inconnus où l'on va retrouver ceux qui nous ont été chers!»

Ne parlons pas d'absence, mais de retour, dit Sampso en me présentant mon casque si soigneusement fourbi de ses mains, qu'elle aurait pu mirer dans l'acier sa douce figure; vous avez été jusqu'ici heureux à la guerre, Scanvoch, le bonheur vous suivra, vous nous le ramènerez avec vous.

J'en crois votre assurance, chère Sampso... Je pars, heureux de votre affection de coeur et de l'amour d'Ellèn; heureux je reviendrai surtout si j'ai pu marquer de nouveau à la face certain roi de ces écorcheurs franks, en reconnaissance de sa loyale hospitalité d'hier envers moi; mais me voici armé... Un baiser à mon petit Aëlguen, et à cheval!...

Au moment où je me dirigeais vers la chambre de ma femme, Sampso m'arrêtant:

Mon frère... et cette étrangère?

Vous avez raison, Sampso, je l'oubliais.

J'avais, par prudence, enfermé Elwig; j'allai heurter à sa porte, et je lui dis:

Veuxtu que j'entre chez toi?

Elle ne me répondit pas; inquiet de ce silence, j'ouvris la porte: je vis Elwig assise sur le bord de sa couche, son front entre ses mains. À mon aspect, elle jeta sur moi un regard farouche et resta muette. Je lui demandai:

Le sommeil t'atil calmée?

Il n'est plus de sommeil pour moi... m'atelle brusquement répondu. Riowag est mort!...

Vers le milieu du jour, ma femme et ma soeur te conduiront auprès de Victoria la Grande; elle te traitera en amie... Je lui ai annoncé ton arrivée au camp.

La soeur de Néroweg, l'Aigle terrible, me répondit par un geste d'insouciance.

Astu besoin de quelque chose? lui aije dit. Veuxtu manger? veuxtu boire?...

Je veux de l'eau... J'ai soif... je brûle!...

Sampso, malgré le refus de la prêtresse, alla chercher quelques provisions, une cruche d'eau, déposa le tout près d'Elwig toujours sombre, immobile et muette; je fermai la porte, et remettant la clef à ma femme:

Toi et Sampso, vous accompagnerez cette malheureuse créature chez Victoria vers le milieu du jour; mais veille à ce qu'elle ne puisse être seule avec notre enfant.

Que crainstu?

Il y a tout à craindre de ces femmes barbares, aussi dissimulées que féroces... J'ai tué son amant en me défendant contre lui, elle serait peutêtre capable par vengeance d'étrangler notre fils.

À ce moment je te vis accourir à moi, mon cher enfant. Entendant ma voix du fond de la chambre de ta mère, tu avais quitté ton lit, et tu venais deminu, les bras tendus vers moi, tout riant à la vue de mon armure, dont l'éclat réjouissait tes yeux. L'heure me pressait, je t'embrassai tendrement, ainsi que ta mère et ta soeur; puis j'allai seller mon cheval. Après un dernier regard jeté sur ta mère, qui te tenait entre ses bras, je partis au galop, afin de rejoindre Victoria sur le champ d'exercice où l'armée devait être réunie.

Le bruit lointain des clairons, les hennissements des chevaux auxquels il répondait, animèrent mon cheval; il bondissait avec vigueur... Je le calmai de la voix, je le caressai de la main, afin de l'assagir et de ménager ses forces pour cette rude journée. À peu de distance du camp d'exercice, j'ai vu à cent pas devant moi Victoria, escortée de quelques cavaliers. Je l'eus bientôt rejointe... Tétrik, monté sur une petite haquenée, se tenait à la gauche de la mère des camps, elle avait à sa droite un barde druide, nommé Rolla, qu'elle affectionnait pour sa bravoure, son noble caractère et son talent de poète. Plusieurs autres druides étaient disséminés parmi les différents corps de l'armée, afin de marcher côte à côte des chefs à la tête des troupes.

Victoria, coiffée du léger casque d'airain de la Minerve antique, surmonté du coq gaulois en bronze doré, tenant sous ses pattes une alouette expirante, montait, avec sa fière aisance, son beau cheval blanc, dont la robe satinée brillait de reflets argentés; sa housse, écarlate comme sa bride, traînait presque à terre à demi cachée sous les plis de la longue robe noire de la mère des camps, qui, assise de côté sur sa monture, chevauchait fièrement; son mâle et beau visage semblait animé d'une ardeur guerrière: une légère rougeur colorait ses joues; son sein palpitait, ses grands yeux bleus brillaient d'un incomparable éclat sous leurs sourcils noirs... Je me joignis, sans être aperçu d'elle, aux autres cavaliers de son escorte... Les cohortes, bannières déployées, clairons et buccins en tête, se rendant au champ d'exercice, passaient successivement à nos côtés d'un pas rapide: les officiers saluaient Victoria de l'épée, les bannières s'inclinaient devant elle, et soldats, capitaines, chefs de cohortes, tous enfin criaient d'une même voix avec enthousiasme:

Salut à Victoria la Grande!...

Salut à la mère des camps!...

Parmi les premiers soldats d'une des cohortes qui passèrent ainsi près de nous, j'ai reconnu Douarnek, un de mes quatre rameurs de la veille; malgré sa blessure récente, le courageux Breton marchait à son rang... Je m'approchai de lui au pas de mon cheval, et lui dis:

Douarnek, les dieux envoient à Victorin une occasion propice de prouver à l'armée que malgré d'indignes calomnies il est toujours digne de la commander.

Tu as raison, Scanvoch, me répondit le Breton. Que Victorin gagne cette bataille, comme il en a gagné d'autres, et le soldat, dans la joie du triomphe de son général, oubliera bien des choses...

Quelques légions romaines, alors nos alliés, partageaient l'enthousiasme de nos troupes: en passant sous les yeux de Victoria, leurs acclamations la saluaient aussi... Toute l'armée, la cavalerie aux ailes, l'infanterie au centre, fut bientôt réunie dans le champ d'exercice, plaine immense, située en dehors du camp; elle avait pour limites, d'un côté, la rive du Rhin, de l'autre, le versant d'une colline élevée; au loin on apercevait un grand chemin tournant et disparaissant derrière plusieurs rampes montueuses... Les casques, les cuirasses, les armes, les bannières, surmontées du coq gaulois en cuivre doré, étincelants aux rayons du soleil, offraient une sorte de fourmillement lumineux, admirable à l'oeil du soldat... Victoria, dès qu'elle entra dans le champ de manoeuvres, mit son cheval au galop, afin d'aller rejoindre son fils, placé au centre de cette plaine immense, et environné d'un groupe de chefs de légions et de cohortes, auxquels il donnait ses ordres. À peine la mère des camps, reconnaissable à tous les regards par son casque d'airain, sa robe noire et le cheval blanc qu'elle montait, eutelle paru devant le front de l'armée, qu'un seul cri, immense, retentissant, partant de ces cinquante mille poitrines de soldats, salua Victoria la Grande.

Que ce cri soit entendu de Hésus, dit au barde druide ma soeur de lait d'une voix émue. Que les dieux donnent à la Gaule une nouvelle victoire! La justice et les droits sont pour nous... Ce n'est pas une conquête que nous cherchons, nous voulons défendre notre sol, notre foyer, nos familles et notre liberté!...

Notre cause est sainte entre toutes les causes! répondit Rolla, le barde druide. Hésus rendra nos armes invincibles!...

Nous nous sommes rapprochés de Victorin... Jamais, je crois, je ne l'avais vu plus beau, plus martial, sous sa brillante armure d'acier, et sous son casque, orné, comme celui de sa mère, du coq gaulois et d'une alouette. Victoria ellemême, en s'approchant de son fils, ne put s'empêcher de se tourner vers moi, et de trahir, par un regard compris de moi seul peutêtre, son orgueil maternel. Plusieurs officiers, porteurs des ordres du jeune général pour divers corps de l'armée, partirent au galop dans des directions différentes. Alors je m'approchai de ma soeur de lait, et je lui dis à mivoix:

Tu reprochais à ton fils de n'avoir plus cette froide bravoure qui doit distinguer le chef d'armée; vois, cependant, comme il est calme, pensif... Ne listu pas sur son mâle visage la sage et prudente préoccupation du général qui ne veut pas aventurer follement la vie de ses soldats, la fortune de son pays?

Tu dis vrai, Scanvoch; il était ainsi calme et pensif au moment de la grande bataille d'Offenbach... une de ses plus belles... une de ses plus utiles victoires! puisqu'elle nous a rendu notre frontière du Rhin en refoulant ces Franks maudits de l'autre côté du fleuve!...

Et cette journée complètera la victoire de ton fils, si, comme je l'espère, nous chassons pour toujours ces barbares de nos frontières!

Mon frère, me dit ma soeur de lait, selon ton habitude, tu ne quitteras pas Victorin?

Je te le promets...

Il est calme à cette heure; mais, l'action engagée, je redoute l'ardeur de son sang, l'entraînement de la bataille... Tu le sais, Scanvoch, je ne crains pas le péril pour Victorin; je suis fille, femme et mère de soldat... mais je crains que par trop de fougue, et voulant, par seule outrevaillance, payer de sa personne, il ne compromette par sa mort le succès de cette journée, qui peut décider du repos de la Gaule!

J'userai de tout mon pouvoir pour convaincre Victorin qu'un général doit se ménager pour son armée, dont il est la tête et la pensée...

Scanvoch, me dit ma soeur de lait d'une voix émue, tu es toujours le meilleur des frères! Puis, me montrant encore son fils du regard, et ne voulant pas, sans doute, laisser pénétrer à d'autres qu'à moi ta lutte de ses anxiétés maternelles contre la fermeté de son caractère, elle ajouta tout bas: Tu veilleras sur lui?

Comme sur mon fils.

Le jeune général, après avoir donné ses derniers ordres, descendit respectueusement de cheval à la vue de Victoria, s'approcha d'elle et lui dit:

L'heure est venue, ma mère... J'ai arrêté avec les autres capitaines les dernières dispositions du plan de bataille, que je vous ai soumis et que vous approuvez... Je laisse dix mille hommes de réserve pour la garde du camp, sous le commandement de Robert, un de nos chefs les plus expérimentés... il prendra vos ordres... Que les dieux protègent encore cette fois nos armes!... Adieu, ma mère je vais faire de mon mieux...

Et il fléchit le genou.

Adieu, mon fils, ne reviens pas ou reviens victorieux de ces barbares...

En disant ceci, la mère des camps se courba du haut de son cheval, et tendit sa main à Victorin, qui la baisa en se relevant.

Bon courage, mon jeune César, dit le gouverneur de Gascogne au fils de ma soeur de lait, les destinées de la Gaule sont entre vos mains... et grâce aux dieux, vos mains sont vaillantes... Donnez moi l'occasion d'écrire une belle ode sur cette nouvelle victoire.

Victorin remonta à cheval; quelques instants après, notre armée se mettait en marche, les éclaireurs à cheval précédant l'avant garde; puis, derrière cette avantgarde, Victorin se tenait à la tête du corps d'armée. Nous laissons la rive du Rhin à notre droite; quelques troupes légères d'archers et de cavaliers se dispersèrent en éclaireurs, afin de préserver notre flanc gauche de toute surprise. Victorin m'appela, je poussai mon cheval près du sien, dont il hâta un peu l'allure de sorte que tous deux nous avons dépassé l'escorte dont le jeune général était entouré.

Scanvoch, me ditil, tu es un vieux et bon soldat; je vais en deux mots te dire mon plan de bataille convenu avec ma mère... Ce plan, je l'ai confié au chef qui doit me remplacer au commandement si je suis tué... Je veux aussi t'instruire de mes projets; tu en rappellerais au besoin l'exécution.

Je t'écoute.

Il y a maintenant prés de trois heures que les radeaux des Franks ont été vus vers le milieu du fleuve... Ces radeaux, chargés de troupes et remorqués par des barques naviguant lentement, ont dû employer plus d'une heure pour atteindre le rivage et débarquer...

Ton calcul est juste; mais pourquoi n'astu pas hâté la marche de l'armée, afin de tâcher d'arriver sur le rivage avant le débarquement des Franks? Des troupes qui prennent terre sont toujours en désordre; ce désordre eût favorisé notre attaque.

Deux raisons m'ont empêché d'agir ainsi; tu vas les savoir. Combien croistu qu'il ait fallu de temps à l'officier qui est venu annoncer le débarquement de l'ennemi pour se rendre à toute bride des avantpostes à Mayence?

Une heure et demie... car de cet avantposte au camp il y a presque cinq lieues.

Et pour accomplir le même trajet, combien fautil de temps à une armée, marchant en bon ordre et d'un pas accéléré, point trop hâté cependant, afin de ne pas essouffler ni fatiguer les soldats avant la bataille?

Il faut environ deux heures et demie.

Tu le vois, Scanvoch, il nous était impossible d'arriver assez tôt pour attaquer les Franks au moment de leur débarquement ...L'indiscipline de ces barbares est grande; ils auront mis quelque temps à se reformer en bataille; nous arriverons donc avant eux, et nous les attendrons aux défilés d'Armstadt, seule route militaire qu'ils puissent prendre pour venir attaquer notre camp, à moins qu'ils ne se jettent à travers des marais et des terrains boisés, où leur cavalerie, leur principale force, ne pourrait se développer.

Ceci est juste.

J'ai donc temporisé, afin de laisser les Franks s'approcher des défilés.

S'ils s'engagent dans ce passage... ils sont perdus.

Je l'espère Nous les poussons ensuite, l'épée dans les reins, vers le fleuve; nos cent cinquante barques bien armées, parties du port, selon mes ordres, en même temps que nous, coulerons bas les radeaux de ces barbares et leur couperons toute retraite Le capitaine Marion a traversé le Rhin avec des troupes d'élite; il se joindra aux peuplades de l'autre côté du fleuve, marchera droit au camp des Franks, où ils ont dû laisser une furie réserve, et leurs chariots de guerre... Tout sera détruit!

Victorin me développait ce plan de bataille habilement conçu, lorsque nous vîmes accourir à toute bride quelques cavaliers envoyés en avant pour éclairer notre marche. L'un d'eux, arrêtant son cheval blanc d'écume, dit à Victorin:

L'armée des Franks s'avance; on l'aperçoit au loin du sommet des escarpements: leurs éclaireurs se sont approchés des abords du défilé, ils ont été tués à coups de flèche par les archers que nous avions emmenés en croupe, et qui s'étaient embusqués dans les buissons; pas un des cavaliers franks n'a échappé.

Bien visé! reprit Victorin; ces éclaireurs auraient pu rencontrer les nôtres et retourner avertir l'armée franque de notre approche; peutêtre alors ne se seraitelle pas engagée dans les défilés; mais je veux aller moimême juger de la position de l'ennemi... Suismoi, Scanvoch.

Victorin met son cheval au galop, je l'imite; l'escorte nous suit; nous dépassons rapidement notre avantgarde, à qui Victorin donne l'ordre de s'arrêter. Les soldats saluèrent de leurs acclamations le jeune général, malgré les calomnies infâmes dont il avait été l'objet. Nous sommes arrivés à un endroit d'où l'on dominait les défilés d'Armstadt: cette route, fort large, s'encaissait à nos pieds entre deux escarpements; celui de droite, coupé presque à pic, et surplombant la route, formait une sorte de promontoire du côté du Rhin; l'escarpement de gauche, composé de plusieurs rampes rocheuses, servait pour ainsi dire de base aux immenses plateaux au milieu desquels avait été creusée cette route profonde, qui s'abaissait de plus en plus pour déboucher dans une vaste plaine, bornée à l'est et au nord par la courbe du fleuve, à l'ouest par des bois et des marais, et derrière nous par les plateaux élevés, où nos troupes faisaient halte. Bientôt nous avons distingué à une grande distance d'innombrables masses noires et confuses, c'était l'armée franque...

Victorin resta pendant quelques instants silencieux et pensif, observant attentivement la disposition des troupes de l'ennemi et le terrain qui s'étendait à nos pieds.

Mes prévisions et mes calculs ne m'avaient pas trompé, me dit il. L'armée des Franks est deux fois supérieure à la nôtre; s'ils connaissaient une tactique moins sauvage, au lieu de s'engager dans ce défilé, ainsi qu'ils vont le faire, si j'en juge d'après leur marche, ils tenteraient, malgré la difficulté de cette sorte d'assaut, de gravir ces plateaux en plusieurs endroits à la fois, me forçant ainsi à diviser sur une foule de points mes forces si inférieures aux leurs... alors notre succès eût été douteux. Cependant, par prudence, et pour engager l'ennemi dans le défilé, j'userai d'une ruse de guerre... Retournons à l'avantgarde, Scanvoch, l'heure du combat a sonné!...

Et cette heure, lui disje, est toujours solennelle...

Oui, me ditil d'un ton mélancolique, cette heure est toujours solennelle, surtout pour le général, qui joue à ce jeu sanglant des batailles, la vie de ses soldats et les destinées de son pays. Allons, viens, Scanvoch... et que l'étoile de ma mère me protège!...

Je retournai vers nos troupes avec Victorin, me demandant par quelle contradiction étrange ce jeune homme, toujours si ferme, si réfléchi, lors des grandes circonstances de sa vie, se montrait d'une inconcevable faiblesse dans sa lutte contre ses passions.

Le jeune général eut bientôt rejoint l'avantgarde. Après une conférence de quelques instants avec les officiers, les troupes prennent leur poste de bataille: trois cohortes d'infanterie, chacune de mille hommes, reçoivent l'ordre de sortir du défilé et de déboucher dans la plaine, afin d'engager le combat avec l'avantgarde des Franks, et de tâcher d'attirer ainsi le gros de leur armée dans ce périlleux passage. Victorin, plusieurs officiers et moi, groupés sur la cime d'un des escarpements les plus élevés, nous dominions la plaine où allait se livrer cette escarmouche. Nous distinguions alors parfaitement l'innombrable armée des Franks: le gros de leurs troupes, massé en corps compacte, se trouvait encore assez éloignée; une nuée de cavaliers le devançaient et s'étendaient sur les ailes. À peine nos trois cohortes furentelles sorties du défilé, que ces milliers de cavaliers, épars comme une volée de frelons, accoururent de tous côtés pour envelopper nos cohortes, ne cherchant qu'à se devancer les uns les autres; ils s'élancèrent à toute bride et sans ordre sur nos troupes. À leur approche, elles firent halte et se formèrent en coin pour soutenir le premier choc de cette cavalerie; elles devaient ensuite feindre une retraite vers les défilés. Les cavaliers franks poussaient des hurlements si retentissants, que, malgré la grande distance qui nous séparait de la plaine, et l'élévation des plateaux, leurs cris sauvages parvenaient jusqu'à nous comme une sourde rumeur mêlée au son lointain de nos clairons... Nos cohortes ne plièrent pas sous cette impétueuse attaque; bientôt, à travers un nuage de poussière, nous n'avons plus vu qu'une masse confuse, au milieu de laquelle nos soldats se distinguaient par le brillant éclat de leur armure. Déjà nos troupes opéraient leur mouvement de retraite vers le défilé, cédant pied à pied le terrain à ces nuées d'assaillants, de moment en moment augmentées par de nouvelles hordes de cavaliers, détaches de l'avantgarde de l'armée franque, dont le corps principal s'approchait à marche forcée.

Par le ciel! s'écria Victorin les yeux ardemment fixés sur le champ de bataille, le brave Firmian, qui commande ces trois cohortes, oublie, dans son ardeur, qu'il doit toujours se replier pas à pas vers le défilé afin d'y attirer l'ennemi. Firmian ne continue pas sa retraite, il s'arrête et ne rompt plus maintenant d'une semelle... il va faire inutilement écharper ses troupes...

Puis, s'adressant à un officier:

Courez dire à Ruper d'aller au pas de course, avec ses trois vieilles cohortes, soutenir la retraite de Firmian... Cette retraite, Ruper la fera exécuter sur l'heure, et rapidement... Le gros de l'armée franque n'est plus qu'à cent portées de trait de l'entrée des défilés.

L'officier partit à toute bride; bientôt, selon l'ordre du général, trois vieilles cohortes sortirent du défilé au pas de course; elles allèrent rejoindre et soutenir nos autres troupes.

Peu de temps après, la feinte retraite s'effectua en bon ordre. Les Franks, voyant les Gaulois lâcher pied, poussèrent des cris de joie sauvage, et leur avantgarde s'approcha de plus en plus des défilés. Tout à coup Victorin pâlit: l'anxiété se peignit sur son visage, et il s'écria:

Par l'épée de mon père! me seraisje trompé sur les dispositions de ces barbares?... Voistu leur mouvement?...

Oui, lui disje; au lieu de suivre l'avantgarde et de s'engager comme elle dans le défilé, l'armée franque s'arrête, se forme en nombreuses colonnes d'attaques et se dirige vers les plateaux. Courroux du ciel! ils font cette habile manoeuvre que tu redoutais... Ah! nous avons appris la guerre à ces barbares...

Victorin ne me répondit pas; il me parut nombrer les colonnes d'attaque de l'ennemi; puis, rejoignant au galop notre front de bataille, il s'écria:

Enfants! ce n'est plus dans les défilés que nous devons attendre ces barbares... il faut les combattre en rase campagne... Élançonsnous sur eux du haut de ces plateaux qu'ils veulent gravir... refoulons ces hordes dans le Rhin... Ils sont deux ou trois contre un...

tant mieux!... Ce soir, de retour au camp, notre mère Victoria nous dira: «Enfants, vous avez été vaillants!»

Marchons! s'écrièrent tout d'une voix les troupes qui avaient entendu les paroles du jeune général, marchons!

Alors le barde Rolla improvisa ce chant de guerre, qu'il entonna d'une voix éclatante:

« Ce matin nous disons: Combien sontils donc ces barbares qui veulent nous voler notre terre, nos femmes et notre soleil?

« Oui, combien sontils donc ces Franks?

« Ce soir nous dirons: Réponds, terre rougie du sang de l'étranger... Répondez, flots profonds du Rhin... Répondez, corbeaux de la grève!... Répondez... répondez...

«Combien étaientils donc ces voleurs de terre, de femmes et de soleil?

«Oui, combien étaientils donc, ces Franks?»

Et les troupes se sont ébranlées en chantant le refrain de ce bardit, qui vola de bouche en bouche jusqu'aux derniers rangs.

Moi, ainsi que plusieurs officiers et cavaliers d'escorte, précédant les légions, nous avons suivi Victorin. Bientôt notre armée s'est développée sur la cime des plateaux dominant au loin la plaine immense, bornée à l'extrême horizon par une courbe du Rhin. Au lieu d'attendre l'attaque dans cette position avantageuse, Victorin voulut, à force d'audace, terrifier l'ennemi; malgré notre infériorité numérique, il donna l'ordre de fondre de la crête de ces hauteurs sur les Franks. Au même instant, la colonne ennemie qui, attirée par une feinte retraite, s'était engagée dans les défilés, était refoulée dans la plaine par une partie de nos troupes; reprenant l'offensive, notre armée descendit presque en même temps des plateaux. La bataille s'engagea, elle devint générale...

J'avais promis à Victoria de ne pas quitter son fils; mais au commencement de l'action, il s'élança si impétueusement sur l'ennemi à la tête d'une légion de cavalerie, que le flux et le reflux de la mêlée me séparèrent d'abord de lui. Nous combattions alors une troupe d'élite bien montée, bien armée; les soldats ne portaient ni casque, ni cuirasse, mais leur double casaque de peaux de bêtes, recouverte de longs poils, et leurs bonnets de fourrure, intérieurement garnis de bandes de fer, valaient nos armures: ces Franks se battaient avec furie, souvent avec une férocité stupide... J'en ai vu se faire tuer comme des brutes, pendant qu'au fort de la mêlée ils s'acharnaient à trancher, à coups de hache, la tête d'un cadavre gaulois, afin de se faire un trophée de cette dépouille sanglante... Je me défendais contre deux de ces cavaliers, j'avais fort à faire; un autre de ces barbares, démonté et désarmé, s'était cramponné à ma jambe afin de me désarçonner; n'y pouvant parvenir, il me mordit avec tant de rage, que ses dents traversèrent le cuir de ma bottine, et ne s'arrêtèrent qu'à l'os de ma jambe. Tout en ripostant à mes deux adversaires, je trouvai le loisir d'asséner un coup de masse d'armes sur le crâne de ce Frank. Après m'être débarrassé de lui, je faisais de vains efforts pour rejoindre Victorin, lorsque, à quelques pas de moi, j'aperçois dans la mêlée, qu'il dominait de sa taille gigantesque, Néroweg, l'Aigle terrible... À sa vue, au souvenir des outrages dont je m'étais à peine vengé la veille, en lui jetant une bûche à la tête, mon sang, qu'animait déjà l'ardeur de la bataille, bouillonna plus vivement encore... En dehors même de la colère que devait m'inspirer Néroweg pour ses lâches insultes, je ressentais contre lui je ne sais quelle haine profonde, mystérieuse, comme s'il eût personnifié cette race pillarde et féroce, qui voulait nous asservir... Il me semblait (chose étrange, inexplicable), que j'abhorrais Néroweg autant pour l'avenir que pour le présent... comme si cette haine devait non seulement se perpétuer entre nos deux races franque et gauloise, mais entre nos deux familles... Que te dirai-je, mon enfant? j'oubliai même la promesse faite à ma soeur de lait de veiller sur son fils; au lieu de m'efforcer de rejoindre Victorin, je ne cherchai qu'à me rapprocher de Néroweg... Il me fallait la vie de ce Frank... lui seul parmi tant d'ennemis excitait personnellement en moi cette soif de sang... Je me trouvais alors entouré de quelques cavaliers de la légion à la tête de laquelle Victorin venait de charger si impétueusement l'armée franque... Nous devions, sur ce point, refouler l'ennemi vers le Rhin, car nous marchions toujours en avant... Deux de nos soldats, qui me précédaient, tombèrent eux et leurs chevaux sous la lourde francisque de l'Aigle terrible, et je l'aperçus à travers cette brèche humaine...

Néroweg, revêtu d'une armure gauloise, dépouille de quelqu'un des nôtres, tué dans l'une des batailles précédentes, portait un casque de bronze doré, dont la visière cachait à demi son visage tatoué de bleu et d'écarlate; sa longue barbe, d'un rouge de cuivre, tombait jusque sur le corselet de fer qu'il avait endossé pardessus sa casque de peau de bête; d'épaisses toisons de mouton, assujetties par des bandelettes croisées, couvraient ses cuisses et ses jambes; il montait un sauvage étalon des forêts de la Germanie, dont la robe, d'un fauve pâle, était çà et là pommelée de noir; les flots de son épaisse crinière noire tombaient plus bas que son large poitrail; sa longue queue flottante fouettait ses jarrets nerveux lorsqu'il se cabrait, impatient de son mors à bossettes et à rênes d'argent terni, provenant aussi de quelque dépouille gauloise; un bouclier de bois, revêtu de lames de fer, grossièrement peint de bandes jaunes et rouges, couleurs de sa bannière, couvrait le bras gauche de Néroweg; de sa main droite il brandissait sa tranchante et lourde francisque, dégouttante de sang; à son côté pendait une espèce de grand couteau de boucher à manche de bois, et une magnifique épée romaine à poignée d'or ciselée, fruit de quelque autre rapine... Néroweg poussa un hurlement de rage en me reconnaissant et s'écria:

L'homme au cheval gris!...

Frappant alors le flanc de son coursier du plat de sa hache, il lui fit franchir d'un bond énorme le corps et la monture d'un cavalier renversé qui nous séparaient. L'élan de Néroweg fut si violent, qu'en retombant à terre son cheval heurta le mien front contre front, poitrail contre poitrail; tous deux, à ce choc terrible, plièrent sur leurs jarrets et se renversèrent avec nous... D'abord étourdi de ma chute, je me dégageai promptement; puis, raffermi sur mes jambes, je tirai mon épée, car ma masse d'armes s'était échappée de mes mains... Néroweg, un moment engagé comme moi sous son cheval, se releva et se précipita sur moi. La mentonnière de son casque s'étant brisée dans sa chute, il avait la tête nue; son épaisse chevelure rouge, relevée au sommet de sa tête, flottait sur ses épaules comme une crinière.

Ah! cette fois, chien gaulois! me criatil en grinçant des dents et me portant un coup furieux que je parai, j'aurai ta vie et ta peau!...

Et moi, loup frank! je te marquerai mort ou vif cette fois encore à la face, pour que le diable te reconnaisse dans ce monde ou dans les autres!...

Et nous nous sommes pendant quelques instants battus avec acharnement, tout en échangeant des outrages qui redoublaient notre rage.

Chien!... me disait Néroweg, tu m'as enlevé ma soeur Elwig!

Je l'ai enlevée à ton amour infâme! puisque dans sa bestialité ta race immonde s'accouple comme les animaux... frère et soeur!... fille et père!...

Tu oses parler de ma race, dogue bâtard! moitié Romain, moitié Gaulois! Notre race asservira la vôtre, fils d'esclaves révoltés! nous vous remettrons sous le joug... et nous vous prendrons vos biens, votre vin, votre terre et vos femmes!...

Vois donc au loin ton armée en déroute, ô grand roi! vois donc tes bandes de loups franks, aussi lâches que féroces, fuir les crocs des braves chiens gaulois!...

C'est au milieu de ce torrent d'injures que nous combattions avec une rage croissante, sans nous être cependant jusqu'alors atteints. Plusieurs coups, rudement assénés, avaient glissé sur nos cuirasses, et nous nous servions de l'épée aussi habilement l'un que l'autre... Soudain, malgré l'acharnement de notre combat, un spectacle étrange nous a, malgré nous, un moment distraits: nos chevaux, après avoir roulé sous un choc commun, s'étaient relevés; aussitôt, ainsi que cela arrive souvent entre étalons, ils s'étaient précipités l'un sur l'autre, en hennissant, pour s'entredéchirer; mon brave TomBras, dressé sur ses jarrets, faisant ployer sous ses durs sabots les reins de l'autre coursier, le tenait par le milieu du cou et le mordait avec frénésie... Néroweg, irrité de voir son cheval sous les pieds du mien, s'écria tout en continuant ainsi que moi de combattre:

Folg! te laisserastu vaincre par ce pourceau gaulois? Défendstoi des pieds et des dents... metsle en pièces!...

Hardi, TomBras! criaije à mon tour, tue le cheval, je vais tuer son maître... J'ai soif de son sang, comme si sa race devait poursuivre la mienne à travers les siècles!...

J'achevais à peine ces mots, que l'épée du Frank me traversait la cuisse entre chair et peau, cela au moment où je lui assénais sur la tête un coup qui devait être mortel... Mais, à un mouvement en arrière que fit Néroweg en retirant son glaive de ma cuisse, mon arme dévia, ne l'atteignit qu'à l'oeil, et, par un hasard singulier, lui laboura la face du côté opposé à celui où je l'avais déjà blessé...

Je te l'ai dit, mort ou vivant je te marquerai encore à la face! m'écriaije au moment où Néroweg, dont l'oeil était crevé, le visage inondé de sang, se précipitait sur moi en hurlant de douleur et de rage...

M'opiniâtrant à le tuer, je restais sur la défensive, cherchant l'occasion de l'achever d'un coup sûr et mortel. Soudain, l'étalon de Néroweg, roulant sous les pieds de TomBras, de plus en plus acharné contre lui, tomba presque sur nous, et faillit nous culbuter... Une légion de notre cavalerie de réserve, dont quelques moments auparavant j'avais entendu le piétinement sourd et lointain, arrivait alors, broyant sous les pieds des chevaux impétueusement lancés tout ce qu'elle rencontrait sur son passage... Cette légion, formée sur trois rangs, arrivait avec la rapidité d'un ouragan; nous devions être, Néroweg et moi, mille fois écrasés, car elle présentait un front de bataille de deux cents pas d'étendue. Eusséje eu le temps de remonter à cheval, il m'aurait été presque impossible de gagner de vitesse ou la droite ou la gauche de cette longue ligne de cavalerie, et d'échapper ainsi à son terrible choc... J'essayai pourtant, et malgré mon regret de n'avoir pu achever le roi frank, tant ma haine contre lui était féroce... Je profitai de l'accident, qui, par la chute du cheval de Néroweg, avait interrompu un moment notre combat, pour sauter sur TomBras alors à ma portée. Il me fallut user rudement du mors et du plat de mon épée pour faire lâcher prise à mon coursier, acharné sur le corps de l'autre étalon, qu'il dévorait en le frappant de ses pieds de devant. J'y parvins à l'instant où la longue ligne de cavalerie, m'enveloppant de toute part, et hâtant encore de la voix et des talons le galop précipité de TomBras, je m'élançai, devançant toujours la légion, et jetant derrière moi un dernier regard sur le roi frank; la figure ensanglantée, il me poursuivait éperdu en brandissant son épée... Soudain je le vis disparaître dans le nuage de poussière soulevé par le galop impétueux des cavaliers.

Hésus m'a exaucé! me suisje écrié; Néroweg doit être mort... cette légion vient de lui passer sur le corps...

Grâce à l'étonnante vitesse de TomBras, j'eus bientôt assez d'avance sur la ligne de cavalerie dont j'étais suivi pour donner à ma course une direction telle qu'il me fut possible de prendre place à la droite du front de bataille de la légion. M'adressant alors à l'un des officiers, je lui demandai des nouvelles de Victorin et du combat; il me répondit:

Victorin se bat en héros!... Un cavalier qui est venu donner ordre à notre réserve de s'avancer nous a dit que jamais le général ne s'était montré plus habile dans ses manoeuvres. Les Franks, deux fois nombreux comme nous, se battent avec acharnement, et surtout avec une science de la guerre qu'ils n'avaient pas montrée jusqu'ici; tout fait croire que nous gagnerons la victoire, mais elle sera chèrement payée...

Le cavalier disait vrai: Victorin s'est battu cette fois encore en soldat intrépide et en général consommé... Le coeur bien joyeux, je l'ai retrouvé au fort de la mêlée: il n'avait, par miracle, reçu qu'une légère blessure... Sa réserve, prudemment ménagée jusqu'alors, décida du succès de la bataille; elle a duré sept heures... Les Franks en déroute, menés battant pendant trois lieues, furent refoulés vers le Rhin, malgré la résistance opiniâtre de leur retraite. Après des pertes énormes, une partie de leurs hordes fut culbutée dans le fleuve, d'autres parvinrent à regagner en désordre les radeaux et à s'éloigner du rivage remorqués par les barques; mais alors la flottille de cent cinquante grands bateaux, obéissant aux ordres de Victorin (il avait tout prévu), fit force de rames, doubla une pointe de terre, derrière laquelle elle s'était jusqu'alors tenue cachée, atteignit les radeaux... Et après les avoir criblés d'une grêle de traits, nos barques les abordèrent de tous côtés... Ce fut un dernier et terrible combat sur ces immenses ponts flottants: leurs bateaux remorqueurs furent coulés bas à coups de hache; le petit nombre de Franks échappés à cette lutte suprême s'abandonnèrent au courant du fleuve, cramponnés aux débris des radeaux désemparés et entraînés par les eaux...

Notre armée, cruellement décimée, mais encore toute frémissante de la lutte, et massée sur les hauteurs du rivage, assistait à cette désastreuse déroute, éclairée par les derniers rayons du soleil couchant. Alors tous les soldats entonnèrent en choeur ces héroïques paroles des bardes qu'ils avaient chantées en commençant l'attaque.

« Ce matin nous disions:

« Combien sontils ces barbares, qui veulent nous voler notre terre, nos femmes et notre soleil?

« Oui, combien sontils donc ces Franks?

« Ce soir nous disons:

« Réponds, terre rougie du sang de l'étranger!... Répondez, flots profonds du Rhin!... Répondez, corbeaux de la grève... Répondez!... répondez!...

« Combien étaientils, ces voleurs de terre, de femmes et de soleil?

« Oui, combien étaientils donc ces Franks?»

Nos soldats achevaient ce refrain des bardes, lorsque de l'autre côté du fleuve, si large en cet endroit que l'on ne pouvait distinguer la rive opposée, déjà voilée d'ailleurs par la brume du soir, j'ai remarqué dans cette direction une lueur qui, devenant bientôt immense, embrasa l'horizon comme les reflets d'un gigantesque incendie!... Victorin s'écria:

Le brave Marion a exécuté son plan à la tête d'une troupe d'élite et des tribus alliées de l'autre côté du Rhin, il a marché sur le camp des Franks... Leur dernière réserve aura été exterminée, leurs huttes et leurs chariots de guerre livrés aux flammes! Par Hésus! la Gaule, enfin délivrée du voisinage de ces féroces pillards, va jouir des douceurs d'une paix féconde! Ô ma mère!... ma mère... tes voeux sont exaucés!

Victorin, radieux, venait de prononcer ces paroles, lorsque je vis s'avancer lentement vers lui une troupe assez nombreuse de soldats appartenant à divers corps de cavalerie et d'infanterie de l'armée; tous ces soldats étaient vieux; à leur tête marchait Douarnek, l'un des quatre rameurs qui m'avaient accompagné la veille dans mon voyage au camp des Franks. Lorsque cette députation fut arrivée près du jeune général, autour duquel nous étions tous rangés, Douarnek s'avançant seul de quelques pas dit d'une voix grave et ferme:

Écoute, Victorin; chaque légion de cavalerie, chaque cohorte d'infanterie a choisi son plus ancien soldat; ce sont les camarades qui sont là m'accompagnant; ainsi que moi, ils t'ont vu naître, ainsi que moi, ils t'ont vu, tout enfant, dans les bras de Victoria, la mère des camps, l'auguste mère des soldats. Nous t'avons, vois tu, Victorin, longtemps aimé pour l'amour d'elle et de toi; tu méritais cela... Nous t'avons acclamé notre général et l'un des deux chefs de la Gaule... tu méritais cela... Nous t'avons aimé, nous vétérans, comme notre fils, en t'obéissant comme à notre père... tu as mérité cela. Puis est venu le jour, t'obéissant toujours, à toi notre général, à toi, chef de la Gaule, nous t'avons moins aimé...

Et pourquoi m'avezvous moins aimé? reprit Victorin frappé de l'air presque solennel du vieux soldat; oui, pourquoi m'avezvous moins aimé?

Pourquoi? Parce que nous t'avons moins estimé... tu méritais cela; mais si tu as eu tes torts, nous avons eu les nôtres... La bataille d'aujourd'hui nous le prouve.

Voyons, reprit affectueusement Victorin, voyons, mon vieux Douarnek, car je sais ton nom, puisque je sais le nom des plus braves soldats de l'armée; voyons, mon vieux Douarnek, quels sont mes torts? quels sont les vôtres?

Voici les tiens, Victorin: tu aimes trop... beaucoup trop le vin et le cotillon.

Par toutes les maîtresses que tu as eues, par toutes les coupes que tu as vidées et que tu videras encore, vieux Douarnek, pourquoi ces paroles le soir d'une bataille gagnée? répondit gaiement Victorin revenant peu à peu à son naturel, que les préoccupations du combat ne tempéraient plus. Franchement, sontce là des reproches que l'on se fait entre soldats?

Entre soldats? non, Victorin, reprit sévèrement Douarnek; mais de soldat à général on se les fait, ces reproches... Nous t'avons librement choisi pour chef, nous devons te parler librement... Plus nous t'avons élevé... plus nous t'avons honoré, plus nous sommes en droit de te dire: Honoretoi...

J'y tâche, brave Douarnek... j'y tâche en me battant de mon mieux.

Tout n'est pas dit quand on a glorieusement bataillé... Tu n'es pas seulement capitaine, mais aussi chef de la Gaule.

Soit; mais pourquoi diable t'imaginestu, brave Douarnek, que comme général et chef de la Gaule je doive être plus insensible qu'un soldat à l'éclat de deux beaux yeux noirs ou bleus, au bouquet d'un vin vieux, blanc ou rouge?

Moi, soldat, je te dis ceci, à toi général, à toi chef de la Gaule: L'homme élu chef par des hommes libres doit, même dans les choses de sa vie privée, garder une sage mesure, s'il veut être aimé, obéi, respecté. Cette mesure, l'astu gardée? Non... Aussi, comme nous t'avions vu avaler des pois, nous t'avons cru capable d'avaler un boeuf...

Quoi! mes enfants, reprit en riant le jeune général, vous m'avez cru la bouche si grande?...

Nous t'avions vu souvent en pointe de vin... nous te savions coureur de cotillons; on nous a dit qu'étant ivre, tu avais fait violence à une femme qui s'était tuée de désespoir... nous avons cru cela...

Courroux du ciel! s'écria Victorin avec une douloureuse indignation, vous... vous avez cru cela du fils de ma mère?

Oui, reprit le vétéran, oui... là a été notre tort... Donc, nous avons eu nos torts, toi les tiens; nous venons te pardonner, pardonnenous aussi, afin que nous t'aimions et que tu nous aimes comme par le passé... Estce dit, Victorin?

Oui, répondit Victorin ému de ces loyales et touchantes paroles, c'est dit...

Ta main, reprit Douarnek, au nom de mes camarades, ta main!...

La voilà, dit le jeune général en se penchant sur le cou de son cheval pour serrer cordialement la main du vétéran. Merci de votre franchise, mes enfants... je serai à vous comme vous serez à moi, pour la gloire et le repos de la Gaule... Sans vous, je ne peux rien; car si le général porte la couronne triomphale, c'est la bravoure du soldat qui la tresse, cette couronne, et l'empourpre de son généreux sang!...

Donc... c'est dit, Victorin, reprit Douarnek dont les yeux devinrent humides. À toi notre sang... et à notre Gaule bien aimée: à ta gloire!...

Et à ma mère, qui m'a fait ce que je suis! reprit Victorin avec une émotion croissante; et à ma mère, notre respect, notre amour, notre dévouement, mes enfants!...

Vive la mère des camps! s'écria Douarnek d'une voix sonore; vive Victorin, son glorieux fils!

Les compagnons de Douarnek, les soldats, les officiers, nous tous enfin présents à cette scène, nous avons crié comme Douarnek:

Vive la mère des camps! vive Victorin, son glorieux fils!...

Bientôt l'armée s'est mise en marche pour regagner le camp, pendant que, sous la protection d'une légion destinée à garder nos prisonniers, les druides médecins et leurs aides restaient sur le champ de bataille pour secourir également les blessés gaulois et franks.

L'armée reprit donc le chemin de Mayence, par une superbe nuit d'été, en faisant résonner du chant des bardes les échos des bords du Rhin.

Victorin, dans sa hâte d'aller instruire sa mère du gain de la bataille, remit le commandement des troupes à l'un des plus anciens capitaines; nous laissâmes nos montures harassées à des cavaliers qui, d'habitude, conduisaient en main des chevaux frais pour le jeune général; lui et moi, nous nous sommes rapidement dirigés vers Mayence. La nuit était sereine, la lune resplendissait parmi des milliers d'étoiles, ces mondes inconnus où nous allons revivre en quittant ce mondeci. Chose étrange! tout en songeant avec un bonheur ineffable au triomphe de notre armée, qui assurait la paix et la prospérité de la Gaule; tout en songeant à mon prochain retour auprès de ta mère et de toi, mon enfant, après cette rude journée de bataille, j'ai soudain éprouvé un accès de mélancolie profonde...

J'avais, dans l'élan de ma reconnaissance, levé les yeux vers le ciel pour remercier les dieux de notre succès... La lune brillait d'un radieux éclat... Je ne sais pourquoi, à ce moment, je me suis rappelé avec une sorte de pieuse tristesse, en pensant à nos aïeux, tous les faits glorieux, touchants ou terribles accomplis par eux, et que l'astre sacré de la Gaule avait aussi éclairés de son éternelle lumière depuis tant de générations!...

Je fus tiré de mes réflexions par la voix joyeuse de Victorin.

À quoi rêvestu, Scanvoch? Toi, l'un des vainqueurs de cette belle journée, te voilà muet comme un vaincu...

Victorin, je pense aux temps qui ne sont plus...

Quel songe creux!... reprit le jeune général dans l'entraînement de son impétueuse gaieté. Laissons le passé avec les coupes vides et les anciennes maîtresses! Moi, je pense d'abord à la joie de ma mère en apprenant notre victoire; puis je pense, et beaucoup, aux brûlants yeux noirs de Kidda, la bohémienne qui m'attend, car cette nuit, en la quittant à la fin du souper où elle m'avait attiré par ruse, elle m'a donné rendez vous pour ce soir... Journée complète, Scanvoch! Bataille gagnée le matin! et le soir, souper joyeux avec une belle maîtresse sur ses genoux! Ah! qu'il fait bon être soldat et avoir vingt ans!...

Écoute, Victorin. Tant qu'à duré chez toi la préoccupation du combat, je t'ai vu sage, grave, réfléchi, digne en tout de ta mère et de toimême...

Et par les beaux yeux de Kidda, ne suisje pas toujours digne de moimême en pensant à elle après la bataille?

Saistu, Victorin, que c'est une grave démarche que celle tentée auprès de toi par Douarnek, venant te parler au nom de l'armée? Saistu que cette démarche prouve la fière indépendance de nos soldats, dont la volonté seule t'a fait général? Saistu que de telles paroles, prononcées par de tels hommes, ne sont et ne seront pas vaines... et qu'il serait funeste de les oublier?...

Bon! une boutade de vétéran, regrettant ses jeunes années... paroles de vieillard blâmant les plaisirs qu'il n'a plus...

Victorin, tu affectes une indifférence éloignée de ton coeur... Je t'ai vu touché, profondément touché du langage de ce vieux soldat...

L'on est si content le soir d'une bataille gagnée, que tout vous plaît... Et d'ailleurs, quoique assez bourrues, ces paroles ne prouventelles pas l'affection de l'armée pour moi?

Ne t'y trompe pas, Victorin, l'affection de l'armée s'était retirée de toi... Elle t'est revenue après la victoire d'aujourd'hui; mais prends garde, de nouveaux excès commis par toi feraient naître de nouvelles calomnies de la part de ceux qui veulent te perdre...

Quelles gens auraient intérêt à me perdre?

Un chef a toujours des envieux, et pour confondre ces envieux tu n'auras pas chaque jour une bataille à gagner; car, grâce aux dieux, l'anéantissement de ces hordes barbares assure pour jamais la paix de la Gaule!...

Tant mieux, Scanvoch, tant mieux! Alors, redevenu le plus obscur des citoyens, accrochant mon épée, désormais inutile, à côté de celle de mon père, je pourrai sans contrainte vider des coupes sans nombre et courtiser toutes les bohémiennes de l'univers!

Victorin, prends garde! je te le répète... Souvienstoi des paroles du vieux soldat...

Au diable le vieux soldat et ses paroles!... Je ne me souviens, à cette heure, que de Kidda... Ah! Scanvoch, si tu la voyais danser avec son court jupon écarlate et son corset de toile d'argent!

Prends garde, le camp et la ville ont les yeux fixés sur ces créatures; ta liaison avec elles fera scandale...

Croismoi, sois réservé dans ta conduite, recherche le secret et l'obscurité dans tes amours.

L'obscurité! le secret! Arrière l'hypocrisie! J'aime à montrer à tous les yeux les maîtresses dont je suis fier! et je serai plus fier de Kidda que de ma victoire d'aujourd'hui.

Victorin, Victorin! cette femme te sera fatale!

Tiens, Scanvoch, si tu entendais Kidda chanter tout en dansant et s'accompagnant d'un petit tambour à grelots... oui, si tu la voyais, tu deviendrais comme moi fou de Kidda la bohémienne... Mais, ajouta le jeune général en s'interrompant et regardant au loin devant lui, vois donc làbas ces flambeaux... Bonheur du ciel! c'est ma mère... Dans son inquiétude, elle aura voulu se rapprocher du champ de bataille pour savoir des nouvelles de la journée... Ah! Scanvoch, je suis jeune, impétueux, ardent aux plaisirs, jamais ils ne me lassent, j'en jouis avec ivresse... Pourtant, je t'en fais le serment par l'épée de mon père! je donnerais toutes mes joies à venir pour ce que je vais éprouver dans quelques instants, lorsque ma mère me pressera sur sa poitrine!

Et en disant ceci, il s'élança à toute bride et sans m'attendre vers Victoria, qui s'approchait en effet. Lorsque je les eus rejoints, ils étaient tous deux descendus de cheval; Victoria tenait Victorin étroitement embrassé, lui disant avec un accent impossible à rendre:

Mon fils, je suis une heureuse mère!...

À la lueur des torches que portaient les cavaliers de l'escorte de Victoria, je remarquai seulement alors que sa main droite était enveloppée de linges. Victorin dit avec anxiété:

110/113

Seriezvous blessée, ma mère?

Légèrement, répondit Victoria.

Puis, s'adressant à moi, elle me tendit affectueusement la main:

Frère, te voilà, mon coeur est joyeux...

Mais cette blessure, qui vous l'a faite?

La femme franque qu'Ellèn et Sampso ont conduite près de moi...

Elwig! m'écriaije avec horreur. Oh! la maudite!... elle s'est montrée digne de sa race odieuse!...

Scanvoch! me dit Victoria d'un air grave, il ne faut pas maudire les morts... Celle que tu appelles Elwig n'existe plus...

Ma mère, reprit Victorin avec une anxiété croissante, ma chère mère, vous nous l'attestez, cette blessure est légère?

Tiens, mon fils, regarde.

Et pour rassurer Victorin, elle déroula la bande dont sa main droite était enveloppée.

Tu le vois, ajoutatelle, je me suis seulement coupée à deux endroits la paume de la main en tâchant de désarmer cette femme...

En effet, les blessures de ma soeur de lait n'offraient aucune gravité.

Elwig armée? aije dit en tâchant de rappeler mes souvenirs de la veille. Où atelle trouvé une arme? À moins qu'hier soir, avant de nous rejoindre à la nage, elle ait ramassé son couteau sur la grève, et l'ait caché sous sa robe.

Mais, cette femme, à quel moment atelle voulu vous frapper, ma mère? Vous étiez donc seule avec elle?

J'avais prié Scanvoch de faire conduire cette Elwig chez moi vers le milieu du jour, dans la pensée d'être secourable à cette femme. Ellèn et Sampso me l'ont amenée... Je m'entretenais avec Robert, chef de notre réserve, nous causions des dispositions à prendre pour défendre le camp et la ville en cas de défaite de notre armée. On fit entrer

Elwig dans une pièce voisine, et la femme et la bellesoeur de Scanvoch laissèrent seule l'étrangère, pendant que j'envoyais chercher un interprète pour me faire entendre d'elle. Robert, notre entretien terminé, me demanda des secours pour la veuve d'un soldat, j'entrai dans la chambre où m'attendait Elwig, je voulais prendre quelque argent dans un coffre où se trouvaient aussi plusieurs bijoux gaulois, héritage de ma mère...

Si le coffre était ouvert, m'écriaije songeant à la sauvage cupidité de la soeur du grand roi Néroweg, Elwig aura voulu, en vraie fille de race pillarde, s'emparer de quelque objet précieux.

Tu l'as dit, Scanvoch; au moment où j'entrais dans cette chambre, la femme franque tenait entre ses mains un collier d'or d'un travail précieux; elle le contemplait avidement. À ma vue, elle a laissé tomber le collier à ses pieds; puis, croisant ses deux bras sur sa poitrine, elle m'a d'abord contemplée en silence d'un air farouche: son pâle visage s'est empourpré de honte ou de rage; puis, me regardant d'un oeil sombre, elle a prononcé mon nom; j'ai cru qu'elle me demandait si j'étais Victoria; je lui fis un signe de tête affirmatif en lui disant: «Oui, je suis Victoria.» À peine avaisje prononcé ces mots, qu'Elwig s'est jetée à mes pieds; son front touchait presque le plancher, comme si elle eût humblement imploré ma protection... Sans doute cette femme a profité de ce moment pour tirer son couteau de dessous sa robe sans être vue de moi, car je me baissais pour la relever, lorsqu'elle s'est redressée, les yeux étincelants de férocité, en me portant un coup de couteau, et répétant avec un accent de haine: Victoria! Victoria!

À ces paroles de sa mère, quoique le danger fût passé, Victorin tressaillit, se rapprocha de ma soeur de lait, et prît entre ses deux mains sa main blessée qu'il baisa avec un redoublement de pieuse tendresse.

Voyant le couteau d'Elwig levé sur moi, ajouta Victoria, mon, premier mouvement fut de parer le coup et de tâcher de saisir la lame en m'écriant: «À moi, Robert!» Celuici, au bruit de la lutte, accourut de la pièce voisine; il me vit aux prises avec Elwig... Mon sang coulait... Robert me crut dangereusement blessée; il tira son épée, saisit cette Elwig à la gorge, et la tua avant que j'aie pu m'opposer à cette inutile vengeance... Je regrette la mort de cette Franque, venue volontairement près de moi.

Vous la plaignez, ma mère, dit vivement Victorin, cette créature pillarde et féroce, comme ceux de sa race! Vous la plaignez! et elle n'a sans doute suivi Scanvoch qu'afin de trouver l'occasion de s'introduire près de vous pour vous voler et vous égorger ensuite!

Je la plains d'être née d'une telle race, reprit tristement Victoria; je la plains d'avoir eu la pensée d'un meurtre!

Croyez-moi, ai-je dit à ma sœur de lait, la mort de cette femme met un terme à une vie souillée de forfaits dont frémit la nature... Fassent les dieux que, comme Elwig, son frère, le roi Néroweg, ait aujourd'hui perdu la vie, et que sa race soit éteinte en lui, sinon je regretterais toujours de n'avoir pas achevé cet homme... Je ne sais pourquoi, il me semble que sa descendance sera funeste à la mienne...

Victoria me regardait, surprise de ces paroles, dont elle ne comprenait pas le sens, lorsque Victorin s'écria:

Béni soit Hésus, ma mère! c'est un jour heureux pour la Gaule que celui-ci!... Vous avez échappé à un grand danger, nos armes sont victorieuses, et les Franks sont chassés de nos frontières...

Puis, s'interrompant et prêtant au loin l'oreille, Victorin ajouta:

Entendez-vous, ma mère? entendez-vous ces chants que le vent nous apporte?...

Tous nous avons fait silence, et ces refrains lointains, répétés en chœur par des milliers de voix, vibrantes de la joie du triomphe, sont venus jusqu'à nous à travers la sonorité de la nuit:

«Ce soir nous disons:

«Combien étaient-ils donc, Ces barbares?

«Ce soir nous disons:

«Combien étaient-ils donc, ces Franks?.